Carmen Paul

Pferdefuß und Himmelsglück

Mein Weg zurück ins Leben nach einem tragischen Unfall

KIE·MEDIA

4. Auflage 2024

Geänderte Namen sind bei der Ersterwähnung mit einem Sternchen* gekennzeichnet.

Lektorat und Satz: Gabriele Pässler, Kirchheim an der Weinstraße
Umschlaggestaltung: Sarah Kienapfel, Berlin
Druck: ARKADRUK, PL-Cieszyn

KIE-Media
Michael Kienapfel
Im Dorf 11, D-91616 Neusitz
www.kie-media.de; verlag@kie-media.de

ISBN (Print): 978-3-944768-13-7
ISBN (eBook): 978-3-944768-14-4

cap-Verlag
Oberer Garten 8, D-72221 Haiterbach-Beihingen
www.cap-books.de; info@cap-music.de

ISBN: 978-3-86773-316-8
Bestell-Nr.: 52 55216

Inhalt

Vorwort

Was für eine Geschichte! Ich hatte das Vorrecht, Carmen Paul persönlich kennen zu lernen, und durfte ihre Nahtoderfahrung als Interview für wunderheute.tv aufzeichnen. Zehntausende wurden durch ihren Bericht bereits angesprochen.[1] Eine Rückmeldung lautet: „Gott, du bist besser, als man jemals mit den schönsten Worten sagen könnte. Ich liebe dich."

Eine andere Frau schrieb: „Vielen Dank, Carmen, du machst richtig sehnsüchtig nach dem Himmel! Ganz wichtig aber: Wir haben auf dieser Welt eine Aufgabe zu erfüllen, auch wenn wir schon ‚dort' sein wollen." Für mich ist dies eine treffende Zusammenfassung der eindrücklichen Nahtoderfahrung, die Carmen machen durfte: Es geht um das Leben nach dem Tod in einer unbeschreiblichen Liebe und Schönheit, aber auch um das Hier und Jetzt, wo wir schon einen Vorgeschmack von Gottes Schönheit und einzigartiger Liebe haben dürfen.

Wir spüren: Die Erfahrung, die Carmen gemacht hat, ist eine ganz persönliche mit ihrem Schöpfer. Sie enthält jedoch auch eine klare Botschaft an alle Menschen: Gott nimmt unsere Entscheidung für oder gegen ihn ernst – und: Diese Entscheidung müssen wir hier auf der Erde treffen. Nach dem Tod ist es zu spät!

Ich bin Jesus Christus so dankbar, dass er Carmen das Leben nochmals geschenkt und sie mit einem Auftrag zu uns Lebenden zurückgeschickt hat. Jesus hat gesagt: „Im Haus meines Vaters sind viele Wohnungen; wenn nicht, so hätte ich es euch gesagt. Ich

---

1 Aktueller Stand bei Drucklegung der 3. Auflage im August 2020: 158 000 Aufrufe.

gehe hin, um euch eine Stätte zu bereiten“ (Die Bibel, Johannesevangelium 14,2).

Carmen bestätigt, was die Bibel auch sagt: Das Beste kommt noch, wenn wir uns für ein Leben mit Jesus Christus entscheiden, denn dann dürfen wir die Ewigkeit einmal mit ihm verbringen. Da will ich unbedingt dabei sein und es ist mein Gebet, dass ich Sie dort treffen werde. Möge dieses Buch dazu beitragen.

Eine Sekunde kann alles verändern, das zeigt uns die Nahtoderfahrung von Carmen. Zögern Sie keinen Moment, eine klare Entscheidung für Jesus Christus zu treffen und ihn als Ihren persönlichen Retter anzunehmen, wenn Sie es noch nicht getan haben.

Im Mai 2018, Weinfelden (Schweiz)

Andreas Lange

Moderator und Produzent von
www.wunderheute.tv
Leiter der christlichen Medienagentur Medialog

1 Prägend

Vor dem hatte ich Angst!

Ich war vielleicht vier, fünf Jahre alt. Wie so oft war ich bei meiner Oma und spielte im Hof. Gegenüber war eine Holzbaracke; solch ein Gebäude stand damals in fast jedem Dorf, und es hieß BHG, „Bäuerliche Handelsgenossenschaft".

Was da drin vor sich ging, das interessierte mich nicht; aber ich wusste, dass hinter dem ersten Fenster ein Mann saß, und vor dem hatte ich großen Respekt - also, wenn ich ehrlich bin: vor dem hatte ich Angst. Er war so groß und laut und lächelte nie, keiner mochte ihn. Und doch zog dieses Fenster mich an wie ein Magnet.

Natürlich nicht nur seines, auch die anderen Fenster in der BHG waren etwas ganz Besonderes! Sie sahen so verlockend aus, man konnte in ihnen sehen, wie der blaue Himmel und die weißen Wolken sich darin spiegelten. Ich konnte mich nicht davon losreißen. Hingehen, nein, aber da war doch der Federballschläger, ja genau, damit konnte ich die kleinen Steinchen ...

Gedacht, getan - wieder und wieder versuchte ich, eine Scheibe zu treffen, Übung macht den Meister, und plötzlich gab es einen klirrenden Knall! Ich ahnte Schlimmes und kauerte mich auf den Boden, malte mit dem Griff des Schlägers Blümchen in den Staub und machte ein möglichst gleichgültiges Gesicht.

Da wurde die Tür aufgerissen und der Mann kam herausgerannt - genau der, vor dem ich eigentlich Angst hatte. Spätestens jetzt erwies es sich, dass meine Einschätzung nicht unberechtigt war: Er tobte und brüllte auf dem Hof herum. Es war echt komisch! Ich musste mir das Lachen verbeißen, als ich ihn da rumhüpfen sah. Wie Rumpelstilzchen, dachte ich.

Da kam er auch schon auf mich zugerannt: „Warst du das? Hast du eben die Scheibe eingeschlagen?" Von mir kam wie aus der Pistole geschossen ein „Nein!". Er sah mich völlig verdutzt an und wusste im ersten Moment nicht, was er sagen sollte. Ich stand auf und sah ihn an. Es war nicht leicht, diesem Blick standzuhalten, zumal ich mir jetzt meiner Lüge bewusst wurde. Doch gab es kein Zurück.

Er fing an zu reden, wie um sich selber klarzumachen (und mir natürlich auch!) – das müsse doch ich gewesen sein, sonst war ja kein anderer hier. Immer wieder sagte ich ihm, dass ich es nicht war. Dabei war ich hin- und hergerissen von den Gefühlen, die sich in mir breitmachten: Da war so etwas wie ein Gefühl von Macht, Überlegenheit, Sieg, aber auch ein Schuldgefühl, weil ich doch wusste, dass ich gelogen hatte.

Endlich gab er es auf. Wahrscheinlich glaubte er mir kein Wort, aber er konnte mir auch nichts beweisen. Jedenfalls ließ der Mann mich in Ruhe, der Mann, vor dem ich vorher solche Angst gehabt hatte, und ging nach oben ins Haus zu meiner Oma, um es ihr zu erzählen.

Jahre später hatte er diese Geschichte noch immer nicht vergessen; als ich schon lange erwachsen war, war er immer noch überzeugt, dass ich die Scheibe eingeschlagen hatte. Das ist nun über fünfzig Jahre her und trotzdem ist es in mir noch so lebendig, als wäre es erst gestern passiert.

„Tu es doch!“

Meine Mutter hatte seltsame Eigenarten, die mich oft sehr verletzten. Eines Tages, ich war zehn oder elf Jahre alt, hatte ich wirklich „den Kanal voll“!

So lange hatte meine Mutter mich immer wieder erpresst und immer mit der gleichen Leier - jedes Mal, wenn ich etwas nach ihrem Kopf machen sollte und ich wollte nicht, weil sich alles in mir dagegen sträubte, bekam ich es wieder zu hören, dieses alte „Ich bringe mich um, ich hänge mich auf, keiner hört auf mich, niemand liebt mich“.

Irgendwann konnte ich es nicht mehr hören. Ich fühlte mich so unter Druck gesetzt, das war auf Dauer nicht zu ertragen. An diesem Tag nun drangen diese Worte wieder einmal an mein Ohr. Ohne einen Ton zu erwidern, stand ich auf, holte eine Fußbank und eine Wäscheleine, legte beides vor sie hin und sagte: „Hier, jetzt tu es doch endlich, dann ist Ruhe.“

Diese Szene hat mich jahrelang verfolgt, und noch heute denke ich ab und zu an diese Situation zurück. Dann sehe ich die Fußbank vor mir, mein Onkel hatte sie selber gebastelt, sie war in einem hellen Mittelblau gestrichen und dunkelblau umrandet. In der Mitte hatte er eine Comiczeichnung hineingemalt, irgendeine lustige Szene zwischen Mann und Frau; wahrscheinlich habe ich das Bild nie wirklich verstanden und aus diesem Grund habe ich es auch nicht im Kopf behalten.

Ich habe lange gebraucht, um zu begreifen, warum ich zu meiner Mutter ein so gestörtes Verhältnis hatte; erst Jahre nach meinem Unfall hat Gott mir geholfen, unsere Beziehung zu klären und zumindest von meiner Seite in Ordnung zu bringen.

Immer wieder fragte ich mich, warum ich mich ständig bemüht hatte, ihr jeden Wunsch zu erfüllen, ihr immer zu Willen zu sein (ja, mit der Zeit lernte ich, meine Widerspenstigkeit im Zaum zu halten), und dann gab Gott mir einen Traum, das war in meiner Zeit in Schmalkalden. Am Morgen konnte ich mich detailgetreu erinnern, was ich gesehen hatte, und das gab mir sehr zu denken! Also rief ich Friede-Renate an, die ich inzwischen gut kannte - ob ich kommen dürfte, damit wir gemeinsam hören könnten, was Gott mir damit sagen will?

Friede-Renate, früher war sie unsere Pastorin, eine Zeitlang habe ich mit ihr im selben Haus gewohnt, ist eine liebevolle und sehr, sehr einfühlsame Frau, die wunderbar auf Menschen eingehen kann - und noch besser kann sie zuhören! Bis heute ist sie für viele Menschen der Anlaufpunkt für Hilfe. Sie war es auch, die mich inspiriert hat, selber ein Seminar zu „innerer Heilung" auszuarbeiten und anzubieten. Ich erzählte ihr also von meinem Traum, dann brachten wir das Ganze gemeinsam vor Gott - und dann, dann waren wir still. Es war das erste Mal, dass ich für mich „hörendes Gebet" in Anspruch nahm. Das hört sich einfach an, ist es aber gar nicht: Nach zwei Minuten glaubt man, es wäre schon eine halbe Stunde vergangen!

Doch an diesem Tag war es anders: Ich lehnte mich zurück und schloss die Augen, da sah ich plötzlich einen Film vor mir ablaufen: ein Raum, nicht sehr hell, mit einigen Menschen. Ich erkannte meinen Opa und meine Oma, aber sie sahen ganz jung aus.

Dann meine Mutter: jung, hübsch und mit ihrem halblangen schwarzen Haar absolut rassig, und die ganze Zeit lachte sie einen Mann an, den ich nicht kannte, aber trotzdem kam er mir nicht fremd vor.

Irgendwann waren die beiden alleine in dem Raum, was zur Folge hatte, dass sie sich noch näherkamen. Erst nachdem meine Mutter und der fremde Mann miteinander geschlafen hatten, trennten sie sich.

Und dann las ich in diesem „Film", dass auf einer Tafel „2. August 1958, 19 Jahre" stand. Es dauerte eine Weile, bis ich begriff, dass es der 19. Geburtstag meiner Mutter war und dass sie mich an diesem Tag empfangen hat - von dem fremden Mann.

Weiter sah ich, dass es weit in den Sommer hinein war, als sie merkte, dass sie schwanger war. Darüber war sie nicht gerade erfreut, vorsichtig ausgedrückt. (Aber wohin auch immer ihre Gedanken abdrifteten: Gott hat mich damals schon geliebt und gewollt, als ich noch ganz winzig war, im Bauch meiner Mutter.)

Der Traum ging weiter: In dem Haus, in dem meine Oma, der Opa und auch meine Mutter wohnten, lebte unterm Dach noch ein altes Ehepaar. Der Mann hieß Paul, er war sehr lang und ganz dünn. Seine Frau, eine kleine, mollige und sehr liebe Person, hieß Pauline. Witzig, aber wahr!

Pauline machte meiner Mutter Mut, sie redete ihr zu, nicht zu verzweifeln und das Kind auszutragen - auch das sah ich in dem „Film", und ich musste weinen.

(Ich habe weder Paul noch Pauline kennengelernt, sie starben kurz hintereinander, als ich noch in den Windeln lag; doch bin ich den beiden echt dankbar, dass sie genau im richtigen Moment da waren. Meine Mutter hat mir bestätigt, dass es Paul und Pauline wirklich gab; heute heiße ich selber Paul, wenn auch mit dem Nachnamen. Irgendwie passend, ein wenig können Paul und Pauline sozusagen als meine Hilfs-Großeltern gelten!)

Natürlich erzählte ich Friede-Renate, was ich gerade gesehen hatte, und nun beteten wir wieder. Wir legten den ganzen Schlamassel vor das Kreuz unseres Herrn und ich spürte deutlich, wie mir eine Last vom Herzen genommen wurde.

Auf einmal verstand ich, was los war. Ich verstand, warum meine Mutter sich mit diesem Mann eingelassen hatte, verstand, warum sie so entsetzt war, als sie die Schwangerschaft bemerkte, und verstand auch, warum sie mich loswerden wollte. Jesus nahm alles an sich, meinen Schmerz, meine Trauer, er war doch dabei, in jeder Sekunde. Aber was sollte ich nun tun? Ich konnte mir nicht mal im Entferntesten vorstellen, diese Sache zwischen mir und meiner Mutter zu bereinigen. Aber das musste und sollte ich auch gar nicht, denn unser Herr kann das viel besser, und so schnell ging das sowieso nicht.

So fix das alles an jenem Nachmittag ging: Ich brauchte etwa ein halbes Jahr, um das alles zu verkraften und zu verarbeiten! Sicher spürte meine Mutter, dass da etwas nicht stimmte, aber sie traute sich nicht, mich zu fragen. Für diesen Abstand bin ich dankbar; ich brauchte ihn dringend, um selber damit fertigzuwerden, um diese Sache in mir auf eine gesunde Bahn zu bringen.

Nach und nach reifte in mir der Wunsch, mit ihr darüber zu reden. Gott tat das Seine und gab mir zu verstehen, ich solle sie anrufen und für ein paar Tage einladen. Also das hatte es noch nie gegeben, und ich glaubte nicht, dass meine Mutter zusagen würde; aber wie das so ist: Wenn Gott etwas in die Hände nimmt, dann kommt es meist anders, als man es je für möglich gehalten hätte.

So rief ich meine Mutter an und sie sagte ohne zu überlegen „Ja“! Ich war mehr als erstaunt, aber mir war sofort klar, dass hier Jesus Regie führte. Als sie kurze Zeit später kam, wollte sie zwei Wochen bleiben! Schön, da konnten wir in aller Ruhe miteinander „warmwerden“.

Zu Beginn der zweiten Woche nahm ich mir dann die Zeit, um mit ihr endlich über unser Verhältnis zu sprechen und über das, was ich in dem „Film“ gesehen hatte, um diese schwierige Geschichte zu klären und zu begraben. Es war hart, was da ausgesprochen wurde; meine Mutter zelebrierte das ganze Spektrum an Widerstand: Wut, Reue und am Ende Hilflosigkeit und Tränen des Aufgebens.

Doch spürte ich dabei Gottes Nähe und Liebe so stark wie nur selten; an diesem Tag habe ich das Problem für mich lösen können und meine Mutter fing an, ihr Leben in Ordnung zu bringen. Leider ist sie auf halbem Wege stehengeblieben, aber da kann ich ihr nicht helfen, das muss sie selber erkennen. Sie weiß, was zu tun ist, sie kennt den Weg und sie weiß auch, wen sie um Begleitung bitten könnte; nur die Schritte gehen, das muss meine Mutter schon selbst, das kann kein anderer für sie erledigen.

Ich kann jedem nur wärmstens empfehlen: Schieb es nicht auf die lange Bank, wenn du etwas in Ordnung zu bringen hast. Was du hier auf Erden berei-nigst, das ist auch im Himmel bereinigt, und in deinem Leben breitet sich Freude aus.

Kostbare Erinnerungen

Mein Opa war der allerliebste Mensch, den ich je gekannt habe - so scheint es mir heute noch. Ganz egal, was auch immer ich wissen wollte oder musste: Opa wusste Bescheid. Er lehrte mich alles über die Natur, was man sich in der Biologie nur denken konnte.

So kannte ich so ziemlich alle Pilzsorten bei uns im Wald und wusste auch, wo sie zu finden waren. Mein Opa erklärte mir, wie der Boden beschaffen war und welche Pilze auf welchem Grund wachsen. Die Stunden, die ich mit ihm verbracht habe, waren meine allerschönsten!

Mein Opa war für mich der schlaueste Mensch der Welt, denn er wusste einfach alles. Er kannte sich aus mit Tieren, mit Pflanzen, mit dem Weltall - und mit Menschen; ich war fasziniert, wie aufmerksam Opa Menschen beobachtete und mitunter treffend analysierte. Seine logische Art zu denken finde ich ganz häufig bei mir wieder. Meine Lehrer waren davon oft so angetan, dass sie ihrer Begeisterung sogar in meinem Zeugnis Ausdruck verliehen.

An einem wunderschönen Sommertag, es war die Zeit der Heuernte, nahm Opa mich mit dem Pferdewagen mit zum Heu-Einfahren. Mit meinen vier, fünf Jahren gab ich mir alle Mühe und versuchte, genauso effektiv wie er das Heu zusammenzurechen, was mir natürlich nicht gelang.

Als alles in langen Reihen dalag, wurden diese zu Haufen geschoben; und nun fing mein Opa an, die Haufen mit einer Gabel auf den Anhänger zu werfen. Mein Teil dabei war, dass ich oben auf dem Wagen auf dem Heu herumsprang, um das Heu einzustampfen.

Irgendwann war der Hänger voll und ich saß ganz oben auf dem duftenden Heu. Da streckte mein Opa mir die Heugabel entgegen - um die Zinken hatte sich eine Schlange gewickelt! O Schreck! Doch nun kletterte Opa zu mir hoch, setzte sich neben mich und erklärte mir, das sei eine Ringelnatter und die sei ganz harmlos - gefährlich sei aber ihr Verwandter, die Kreuzotter. Die nun beschrieb er mir so genau, dass ich Jahre später, als ich tatsächlich mal eine sah, sofort wusste, womit ich es hier zu tun hatte!

Ich habe nie erlebt, dass mein Opa jemals müde geworden wäre, mir etwas zu erklären. Auch erinnere ich mich noch gut an seine lebhaften, fast schwarzen Augen, wenn er mir etwas erzählte, was ihn begeisterte. Die Augenfarbe habe ich von meinem Opa geerbt, und äußerlich ist das das einzige Erbe von ihm; aber sein Verhalten hat mich sehr stark geprägt.

Ich erinnere mich noch gut, wie er mir erklärte, was Sonnenflecken sind. Das war mir zu hoch und ich konnte es einfach nicht begreifen; aber Opa gab nicht auf. Er nahm mich mit zu einem alten Mann, der sehr interessant aussah: Klein war er, hatte kaum Haare auf dem Kopf, dazu eine lange, dünne, gebogene Nase, kleine wache Augen und einen Buckel. Gehört hatte ich schon von ihm, doch nun sah ich ihn das erste Mal im Original.

Dieser alte Mann hatte ein Fernrohr, mit dem man in die Sonne schauen konnte. Ich bekam den Mund nicht mehr zu, als ich sah, dass auf der Sonne tatsächlich Flecken waren und dass am Rand der Sonne rie-sige Fetzen sich absetzten, die wie Feuerflügel aussahen. Dieser alte Mann war Künstler; später ging ich manchmal zu ihm und sah mir begeistert die Bilder an, die er malte.

Zur Schule ging ich damals noch nicht – und doch habe ich von dem alten Mann und von meinem Opa mehr gelernt über die Sonne und andere Dinge des Lebens als später jemals in der Schule. Heute ist mir klar, dass mein Opa sehr viel Freude daran hatte, mich alles Mögliche zu lehren; und es wundert mich nicht, dass ich zu ihm ein so enges Verhältnis hatte, dass ich manchmal dachte: Ich kann hören, was er denkt.

Meinem Opa, der in seinem Stall außer den Pferden natürlich Kühe, Schweine und allerlei anderes Getier hatte, verdanke ich noch eine wichtige Bekanntschaft: Für seine Vierbeiner und das Federvieh brauchte er ab und an den Tierarzt; das war in unserem Fall eine Frau, sie war jung, dunkelhaarig, selbstbewusst und liebevoll. Frau Dr. Eleonore Rau hat mich in vielem geprägt, schon Jahre vor der Einschulung.

Einen Kindergarten gab es nicht im Dorf, deshalb war ich viel bei ihr, und meine „Frau Doktor" nahm mich mit, wenn sie Tiere gesundmachte. Zwischen uns, das muss etwas gewesen sein wie die berühmte „Liebe auf den ersten Blick", und offenbar beruhte das auf Gegenseitigkeit: Mehrmals in der Woche holte meine Frau Doktor mich ab und ich durfte mit ihr in ihrem Dienstwagen, einem Wartburg 311, in die Kuhställe fahren. Die großen neuen Ställe, das waren die LPGs, die kleinen alten wie die von meinem Opa, das waren die von den Privatbauern.

Dass die LPGs überwiegend auf Zwang und faktisch auf Enteignung der Bauern beruhten und dass bei ihrer Entstehung viele, viele Tränen flossen, weil es in einem sozialistischen Arbeiter- und Bauernstaat doch keine „Großgrundbesitzer" und keine Privatwirtschaft geben durfte, davon verstand ich damals noch nichts. Ich war nur daran interessiert, Tiere gesund zu machen, ob sie nun volkseigen waren oder noch in Bauernhand.

Es war für mich wunderschön, wenn meine Frau Doktor und natürlich ich helfen und wir ein Tier retten konnten. Schon als kleines Kind wusste ich Bescheid - bald durfte ich ganz allein alles aus dem Auto holen, was Frau Doktor brauchte, das Stethoskop und die Spritzen und natürlich auch die Salben und Tropfen, die das Schwein, die Kuh, das Schaf gerade brauchten. Heute bin ich überzeugt, dass sie so manches absichtlich im Auto ließ; so lernte ich gleich, was man wozu braucht und wie das Ding heißt.

Das Erste, was ich kennenlernte, war das Stethoskop; das war ganz einfach. Frau Rau erklärte mir genau, was sie vorhatte und was das war und wozu man ein Stethoskop brauchte. Es lag immer am selben Platz, und wenn ich vom Auto zurückkam, bekam ich ein Lob. Dann kam das Verbandszeug dran, das war schon komplizierter, da gab es nämlich verschiedene Größen und Materialien; manche Binden waren dehnbar, mit denen musste man sparsam sein. Dann gab es Spritzen zum Blutabnehmen und kleinere gegen Schmerzen und Fieber, und für Rinder brauchte man eine dickere Kanüle als für Lämmer. Mit fünf Jahren war das für mich aber kein Problem mehr, ich konnte es gut unterscheiden und kann mich nicht erinnern, dass ich mal das Falsche gebracht hätte. Wenn ich etwas mehr aus dem Auto holen musste und meine kleinen Hände wirklich zu klein waren, hatte ich dafür ein extra Körbchen im Auto stehen.

Einmal wurden wir zur Geburt eines Kälbchens gerufen. Leider war es schon ganz brenzlig, als wir ankamen, es musste wirklich schnell gehen und Frau Doktor nahm gleich alles aus dem Auto mit, was sie brauchte. Also konnte ich in Ruhe genau zuschauen - in Ruhe, ach was, man müsste wohl sagen „wie gebannt"! -, wie sie das Kälbchen im Bauch herumdrehte und ihm auf die Welt half. Ich war noch so klein und sehr jung, und doch begriff ich in diesem Moment, dass da etwas Wunderbares passierte; das ließ mich fast weinen. Und dann die Kuhmutter! Sie war viel zu schwach, um aufzustehen; dennoch ließ sie es sich nicht nehmen, ihr Baby liebevoll trockenzulecken, und immer wieder stubste und drehte sie es mit einem ganz zärtlichen sanften „Muh". Einfach perfekt! Ich war überglücklich, dass alles gut gegangen war und wir die Mutterkuh retten konnten.

Dank dem, was ich an jenem Tag gelernt habe, konnte ich 25 Jahre später meinem Schwiegervater helfen, ein Mutterschaf und zwei Lämmer zu retten. Das erste Lamm lag so verkeilt in Steißlage, dass, wenn es nicht gedreht würde, am Ende beide Lämmer gestorben wären und das Mutterschaf dazu. Gut, dass wir Telefon hatten! Ich rief Frau Dr. Rau an und fragte sie, ob man das bei Schafen auch so macht wie bei Kühen. „Gute Frage, nächste Frage"? Nein, „meine Frau Doktor" hat mich genau instruiert, wie ich es machen muss und was ich auf keinen Fall machen darf - und vor allem hat sie mir mit ihren klaren Anweisungen Sicherheit gegeben. Ich tat, was sie mir sagte, und alle drei haben überlebt! Die beiden Lämmer waren ganz schön groß - und natürlich wurden sie meine Lieblingsschafe.

Wenn wir dann wieder im Auto saßen, auf dem Weg zum nächsten Patienten, und meine Frau Doktor mich lobte, bin ich bestimmt gleich drei Zentimeter größer geworden! Ihr Lob hat mein Selbstbewusstsein gestärkt und mir den Mut gegeben, mehr auszuprobieren, und wenn mir wieder mal ein Fehler passierte, dann auch dazu zu stehen.

Die Bauern, deren Tiere wir behandelten, gewöhnten sich schnell daran, dass Frau Dr. Rau fast nie allein kam, sondern meistens mit mir als Anhängsel. Obwohl sich jeder Bauer das schon denken konnte, wurde ich natürlich immer wieder gefragt, was ich mal werden möchte. Für mich stand fest: Wenn ich groß bin, werde ich Tierärztin! Und es wunderte keinen, der es hörte.

Als ich dann in der Schule war, konnte ich nicht mehr so oft mit Frau Dr. Rau in die Ställe fahren; dafür habe ich sie aber gerne in ihrer Wohnung besucht. Die war wunderschön eingerichtet; und Frau Doktor hatte, wie mir schien, unendlich viele Bücher, die man in einem einzigen Leben niemals lesen könnte. Oder vielleicht doch, wenn man nur früh genug damit anfing und ganz fleißig war? Jedenfalls fing ich unverzüglich an, mich an ihrer Bibliothek zu bereichern - also geistig, meine ich. Viele Jahre hindurch besuchte ich meine geliebte Freundin und merkte gar nicht, wie ich vieles, was ich an dieser wunderbaren Frau beobachtete, selber übernahm.

Bis heute empfinde ich diese große Liebe zu Frau Dr. Rau, ich fühle mich ihr immer noch stark verbunden; daran hat weder das halbe Jahrhundert etwas geändert noch die grundverschiedenen Wege, die wir gegangen sind.

Die wohl schönste Erinnerung an meinen Opa sind die Apfelstunden am Ofen. In Omas Küche stand ein gesetzter Ofen, ein Kachelofen, mit Feuerluke und Warmhalteschacht, der war mit einem kleinen

Metallgitter verschließbar. Denke ich an diesen Ofen, dann denke ich an die Kälte, die man durch das Fenster sah, an das brennende Holz, das im Ofen knackte, und schließlich an Apfelschalenspiralen und Bratapfelduft.

Meine Oma füllte die Bratäpfel und schob sie in die Warmhalteröhre des Ofens; davor saß Opa und schäl-te mit unendlicher Geduld einen Apfel nach dem anderen. In meinen Erinnerungen sehe ich heute noch die Apfelbäume stehen. Ich sah sie im Frühjahr blühen, im Sommer die Früchte wachsen, im Herbst wurden sie reif, und wenn die Zeit da war, brachte Opa sie in einem Korb in die Wohnung hoch.

Fasziniert sah ich dann auch zu – meist saß ich auf einer Fußbank direkt vor ihm –, wie die Apfelschalenspirale immer länger wurde. Für mich war das immer das Allerschönste, denn zum Schluss durfte ich ja die Spiralen essen, eine nach der anderen. Die Krönung war dann immer das Bratapfelessen, verziert mit Vanillesoße. Diesen Geruch und Geschmack habe ich immer noch in der Nase und auf der Zunge.

Heute weiß ich, wie wertvoll es war, dass mein Opa und auch die Oma sich immer die Zeit nahmen, die ich brauchte. Jetzt bin ich selber Oma und weiß das noch mehr zu schätzen, denn mein Enkeltöchterchen wohnt über dreihundert Kilometer weit weg – und wie oft habe ich das Gefühl, dass mir mein Herz zerspringt vor Sehnsucht nach meinem kleinen Schatz!

Ich war sechs Jahre alt und besuchte die erste Klasse; damals war auch samstags Schule. An so einem Samstag im Winter, am 12. Dezember 1965, stand ich mitten im Unterricht plötzlich auf, fing an zu weinen und sagte, ich müsse sofort nach Hause, mein Opa sei gestorben! Meine arme Lehrerin, was sollte sie tun? Sie bat einen Jungen, der in meiner Nachbarschaft wohnte, mich nach Hause zu begleiten.

Der brachte mich an die Haustür und ich ging die Treppen hinauf. Wir wohnten unter dem Dach in einem ziemlich großen alten Haus mitten in Löbau, einem Kleinstädtchen in Sachsen. Als ich in unsere Wohnung kam, saß meine Mutter am Tisch und weinte und schluchzte heraus, der Opa sei gestorben. Ich sagte nur: „Ich weiß", und ging in mein Zimmer. Bis heute, fünfzig Jahre danach, habe ich das Gefühl, dass ich noch immer den Schmerz über diesen Verlust spüre.

Ob mein Opa Christ war und Jesus so kannte, wie ich ihn kenne, das weiß ich nicht. Aber ich weiß, dass er nach dem Krieg unter den Kommunisten mehr gelitten hat als im Krieg. Er wurde nie eingezogen, hat nie auf einen Menschen geschossen. Von Beruf war er „Schweizer" - Stallknecht, Rinderhirte, Viehwirt, Landwirt - und bildete junge Männer in diesem Beruf auch aus; die Bedingung dafür war aber, dass er in der NSDAP Mitglied wurde. Wie später in der DDR, denke ich, nur dass man da eben Mitglied der SED sein musste.

Irgendjemand hat ihn nach dem Krieg wegen der Parteimitgliedschaft bei den Russen „angezählt", angeschwärzt, und mein Opa wurde nach Aue ins Bergwerk geschickt, von wo er nach Jahren todkrank nach Hause kam. Erfahren davon habe ich erst Jahre nach seinem Tod, meine Oma hat es mir gesagt; anmerken lassen hat sich mein Opa mir gegenüber nie etwas.

Schulgeschichten

Die Schulzeit steckte für mich voller Herausforderungen. Beim Gedanken an meine Schuljahre kommt mir das Lächeln, aber es gibt auch schlechte Erinnerungen. Ich hatte, so empfinde ich es, einen sehr ausgeprägten Gerechtigkeitssinn, und der wurde mir häufig zum Verhängnis. Froh bin ich, dass mir aus dieser Zeit nur wenige Erinnerungen zurückkamen.

In meiner Klasse war ein Junge mit einer sehr dicken Brille, und eines Tages fiel meiner Lehrerin nichts Besseres ein, als ihn zu hänseln. Ich war acht und konnte schon damals nicht verstehen, warum Erwachsene Kinder hänseln, doch dass eine Lehrerin so etwas tat, das war für mich wie das rote Tuch für den Stier! Ich explodierte und hielt Frau Lehrerin eine Standpauke, die sich gewaschen hatte.

Das Ganze eskalierte, als die Dame mich anschrie, ich solle den Mund halten. Dabei machte ich ihr doch nur klar, dass man andere Menschen nicht so hänseln darf und Kinder schon gar nicht!

Natürlich ließ ich meine Stimme weiterhin erschallen, bis sie mich unter das Kinn in die weiche Haut zwickte. Völlig ausgeflippt - und jetzt hielt auch mich nichts mehr: Vor lauter Schmerz reagierte ich völlig unkontrolliert und gab der Lehrerin eine so schallende Ohrfeige, dass ich das Klatschen noch heute höre.

Gleichzeitig trat ich ihr mit dem rechten Fuß ins Schienbein, so fiel sie buchstäblich vor mir auf die Knie! Anschließend war sie drei Wochen krank wegen eines Blutergusses am Schienbein; meine Strafe für diese Missetat blieb aus.

Mit dieser Lehrerin hatte ich noch ein besonderes Erlebnis. Ich besuchte damals die zweite Klasse und war ein ganz pfiffiges Mädchen.

Jeden Morgen mussten wir, wenn wir die Schule betraten, durch eine große gläserne Schwingtür. Und jeden Morgen stand sie an der Tür und begrüßte uns, den einen nett, den anderen gar nicht nett, denn auch Lehrer haben, so schien mir, ihre Lieblinge.

Immer wenn ich durch die Tür kam, sollte ich stehen bleiben, „Guten Morgen, Frau Lehrerin" sagen und ihr dabei in die Augen sehen, was ich natürlich auch tat, obwohl ich genau wusste, was jetzt gleich kommen würde. Denn immer, wenn ich die Frau Lehrerin ansah, beschwerte sie sich, ich hätte meine Augen heute wieder nicht gewaschen und sie könne kaum hineinsehen, weil die Glastür sich darin so spiegeln und sie blenden würde.

Ich begriff natürlich gar nichts, aber meine Wut auf sie stieg von Tag zu Tag! Natürlich waren meine Augen immer noch so schwarz wie gestern und vorgestern und wie letzte Woche, aber jeden Tag aufs Neue ging ich schnurstracks in die Toilette und wusch mir wie wild die Augen.

An diesem Tag allerdings tat ich das nicht. Ich ging durch die Glastür und blieb dann stehen, nahm eine mittelgroße Glasmurmel und schoss sie in die Scheibe, die daraufhin mit einem gewaltigen Knall in tausende kleine Stücke zerbrach. Dann sagte ich der Lehrerin in aller Ruhe: „So, jetzt blendet Sie nichts mehr", drehte mich um und ging weg.

Dieses Mal bekam ich die Folgen zu spüren, und die waren sogar sehr angenehm: Meine Lehrerin ließ mich hinfort in Ruhe, und wenn ich in der Nähe war, überlegte sie sich jedes Wort genau.

Ein Jahr später, ich war vielleicht neun Jahre alt, erlebte ich etwas, was mir später noch manchmal zu denken gab. Mein Stiefvater hatte mir sehr viel erzählt aus der Zeit des Krieges. Er war in Stalingrad gewesen und erzählte mir natürlich auch, was er dort erlebt hatte.

Seine Geschichten allerdings hörten sich oft ganz anders an als die, die wir in der Schule zu hören bekamen – in der Schule waren die Deutschen immer die Verbrecher und die russischen Soldaten waren immer die Guten. So begriff ich schnell, dass in einem Krieg nichts gilt und Grenzen oft mehr als nur überschritten werden. Dass es da auf beiden Seiten wirklich böse Menschen gibt.

Mein Stiefvater hat damals überlebt, weil er quasi scheintot war. Das kam so: Sie hatten tagelang nichts zu essen und hatten auch kaum die Möglichkeit, etwas zu trinken. Im Häuserkampf fanden sie in einem Keller eine Holzkiste mit Wein; den tranken sie, hungrig und durstig wie sie waren – und als sie wieder aufwachten, waren sie auf einem Gefangenentransport.

So hat er den Krieg überlebt, und er hat mir immer wieder eingeschärft, dass Krieg das Schlimmste ist, was einem Menschen passieren kann, und dass besonders die Kinder darunter zu leiden haben.

Eines Tages lief ich mit einem Klassenkameraden nach Hause und der malte immer wieder Hakenkreuze an die Häuser. Ich erklärte Peter, das sei keine gute Idee, und erzählte ihm, was ich von meinem Stiefvater gehört und auch gelernt hatte.

Es kam, wie es kommen musste: Der Junge wurde beobachtet und es wurde der Polizei gemeldet. Am selben Abend noch stand sie vor der Tür! Peters Mutter war damals alleinerziehend, so nahmen sie ihn gleich mit. Er kam in ein Erziehungsheim.

Damals begriff ich noch nicht, was da geschah, aber heute ist mir klar: Die Kommunisten haben es auch nicht viel anders gemacht als die SS zur Hitlerzeit. Jahre später hat Peter sich das Leben genommen; ich möchte nicht wissen, was damals in diesem Heim alles passiert ist, aber wahrscheinlich ist diese Zeit der Grund dafür, dass er sein Leben so beendet hat.

Deutsch war eines meiner Lieblingsfächer – die deutsche Sprache machte mir keinerlei Schwierigkeiten und Aufsätze waren meine Favoriten. In der 4. Klasse sollten wir einen Aufsatz schreiben, eine Beschreibung: „Mein Füller".

Ich freute mich schon riesig darauf, aber ich ahnte nicht im Geringsten, was mir damit blühte. Also legte ich los und beschrieb meinen Füller in den höchsten Tönen, und zum guten Schluss machte ich meinem Leser klar, dass kein anderer Füller je besser geschrieben habe als eben genau dieser: wie weich die Feder auf dem Papier lag, dass man absolut keinen Druck ausüben musste, sondern weich und leicht tat er genau das, was ich ihm durch meine Hand sagte, dass er tun müsse!

Ich war selbst ganz begeistert davon, wie mir die Worte über die Hand durch die Feder auf das Papier kamen. Ganz stolz gab ich meinen Aufsatz ab und freute mich schon auf die Eins, die ich wie jedes Mal auch jetzt bekommen würde.

Dann war es so weit: Der Aufsatz wurde ausgeteilt. Und was musste ich sehen? Als Zensur stand da „Rechtschreibung: 1 – Ausdruck: 4"! Und dazu erzählte mir meine Lehrerin etwas, was ich nicht verstehen konnte. Lange Rede kurzer Sinn: Falsch war eigentlich nur, dass dieser Füller einer der Marke „Pelikan“ war! Warum wird man bestraft, wenn man mit einem Füller aus dem Westen schreibt?

Auch eine andere Lehrerin, Frau Herrschel, habe ich gut im Gedächtnis. Ich habe es ihr nicht leicht gemacht; selten nur tat ich, was ich sollte, und selten habe ich so reagiert, wie man es hätte erwarten können. Typisch Teenager, würde man heute sagen! Was Frau Herrschel gefallen hat, war mein relativ gutes Russisch; diese Sprache ist mir nicht allzu schwergefallen. Frau Herrschel war einige Jahre meine Klassenlehrerin; bis auf ein paar Querelen bin ich aber gut mit ihr klargekommen.

Die Schwierigkeiten damals verdanke ich wohl meinem Gerechtigkeitssinn; dazu kam noch, dass ich ziemlich stur war - wenn ich eine Meinung hatte, war es fast unmöglich, diese zu ändern. Wie gut, dass Jesus durch seine Liebe mir gezeigt hat, dass man es ruhig zugeben kann, wenn man mal nicht recht hat.

Die letzte Zigarette

Es war ein kalter Januarmorgen, jener 12. Januar 1969. Wie jeden Morgen hörte ich aus meinem Zimmer, dass mein Stiefvater aufstand, ans Fenster ging und es öffnete, um seine Frühzigarette zu rauchen. Sorte „Salem gelb“ um zwei Mark zehn hatte er immer, auch an den Geruch kann ich mich noch erinnern.

Auch an diesem Morgen hörte ich das seltsame Quietschen des Fensterhebels - und dann, und das war anders als sonst, einen Knall. Einen dumpfen

Knall, der mir das Blut in den Kopf schießen ließ! Ich ahnte, dass irgendetwas Schlimmes passiert sein musste. Also rannte ich schnell ins Wohnzimmer, und da lag mein Stiefvater zwischen dem Sessel und der Schlafzimmertür!

Hinter der spaltbreit geöffneten Schlafzimmertür stand meine Mutter - eingesperrt durch fünfundsiebzig Kilogramm Stiefvater. Sie versuchte, ihn mit der Tür etwas wegzuschieben, damit sie hinauskonnte, doch das ging nicht. Er lag so verkantet da, dass er kein Stückchen weggeschoben werden konnte.

Mit schmerzverzerrtem Gesicht lag mein Stiefvater da, seine Hand auf die Brust gepresst. In fast übermenschlicher Anstrengung zog ich ihn Zentimeter für Zentimeter aus der Klemme, und es kam mir wie Stunden vor, bis meine Mutter sich durch die Tür zwängen konnte. Dann kniete sie sich neben ihrem Mann auf den Boden.

Mich schickte sie einen Stock tiefer, um beim ABV, dem „Abschnittsbevollmächtigten", Hilfe zu holen. Der rief den Arzt, aber der konnte nur noch den Tod feststellen.

So erlebte ich zum zweiten Mal, dass ich einen mir lieben Menschen verlor, nur war ich dieses Mal unmittelbar dabei.

2 Konfrontation

Großgeworden mit dem Glauben war ich ja eigentlich nicht; ich wusste nur, dass ich „es bringen" muss, dass ich alles machen muss, dass ich mich auf keinen verlassen kann, außer eben auf mich.

Mit viel Leidenschaft war ich „Junger Pionier". „Junge Pioniere", das war die erste Stufe der staatlichen Organisation für die Erst- bis Viertklässler. Auch bei den „Thälmannpionieren" (fünfte bis siebte Klasse) war ich mit Leib und Seele dabei.

Es wurde auch richtig viel geboten; Schule, Hort, Ferienspiele, Kinderferienlager - alles war so ausgelegt, dass man eigentlich nicht weiter nachzudenken brauchte. Alles bekam man gut durchdacht vorgesetzt und, wie mir später schien, war das Ganze auch wohlüberlegt. Wir mussten nur eines tun: mitmachen.

Mir persönlich fiel das auch gar nicht schwer, denn das „kinderfreundliche" DDR-System hatte mich voll im Griff. Ja, in meiner Schulzeit gab es schon Situationen, in denen ich kurz nachdachte und feststellte, dass da irgendwas nicht stimmen konnte (der Aufsatz über den Füller zum Beispiel); doch ich war viel zu sehr in dem System verankert, als dass ich ernsthaft protestiert hätte.

Kommunismus live

Das Ende der Schulzeit rückte näher und mein Berufswunsch hatte sich nicht geändert: Tierärztin! Doch vor dem Studium in Meißen musste ich erst einen Beruf mit Tieren erlernen, deshalb beschloss ich, Zootechniker zu werden.

Also rein in die Latzhose und ab zu Affe und Elefant, Krokodil und Zebra? Nein, Zootechniker lernte man in der LPG! Im „Arbeiter- und Bauernstaat“ war der Bauer ja abgeschafft, es gab nur noch die Landwirtschaftliche Produktionsgenossenschaft und den Facharbeiter; Schauplätze meiner Ausbildung waren im Wesentlichen die Berufsschule und der – naja, der Kuhkäfig sozusagen.

Jetzt lernte ich den Kommunismus im Alltagsgewand kennen. All die Jahre in der Schule hatte ich davon gehört und fleißig gelernt, aber was ich jetzt sah und am eigenen Leib zu spüren bekam, zeigte mir: Nichts von all dem, was ich in der Schule gelernt hatte, war wahr!

Wenn die Ausbilder merkten, dass man schnell und gewissenhaft lernte, wurde man als Ersatz für die Erwachsenen in alle möglichen Kuhställe oder andere Arbeitsplätze gesteckt, damit die wenigstens mal zwei, drei Tage am Stück frei haben konnten. Irgendwann meldete sich in mir die Rebellion und ich fing an, laut auszusprechen, was ich sehen und erkennen konnte. Also wurde ich versetzt in eine andere Ausbildungsstätte mit einem „hundertprozentigen“ Heimleiter. Zunächst empfand ich das Ganze als ein Abenteuer, dann immer mehr als reine Schikane. Heute bin ich froh, dass ich das alles erlebt habe, denn so kann ich anderen, die auch so was hinter sich haben, besser helfen.

Ein Beispiel für den Schwachsinn, der in der DDR möglich war: An einem regnerischen Montagmorgen, ich wohnte noch bei meiner Mutter in Löbau, machte ich mich verschlafen auf den Weg zum Bus, ich hatte Frühdienst. Um zum Bus zu kommen, musste ich eine Kreuzung überqueren, und eigentlich hätte ich jede Straße einzeln nehmen müssen, aber dazu war ich viel zu faul. Also ging ich in meinem schönen gelben, vom Onkel aus dem Westen gesponserten Friesennerz, auf dem auch noch der „Schwerter zu Pflugscharen"-Aufkleber prangte, diagonal über die Kreuzung.

Den Polizisten hatte ich natürlich nicht gesehen. Er hielt mich an, es folgte die typische Schimpfkanonade - aber als er erst den Aufkleber sah! Für einen Moment dachte ich, dass er wohl gleich wie ein Flummi in die Luft geht, denn er fing an rumzuschreien und machte mir klar: Wenn ich nicht sofort dieses schändliche Teil, das aus dem bösen Kapitalismus kommt, ausziehe, würde er dafür sorgen, dass ich die Einheitskleidung mit dem gelben Streifen bekäme.

In meinem Kopf ging jetzt echt was ab. Mir fielen gefühlt tausend Dinge ein, doch dass ich zu Hause mein Frühstück liegengelassen hatte, das schrie am lautesten! Der Ordnungshüter wollte von mir 20 Mark, weil ich über die Kreuzung gelaufen war, und das dürfe man nicht.

Dass er dafür sorgen könnte, dass ich in den Knast komme (nicht wegen der Abkürzung, sondern wegen der Jacke mit dem Aufkleber), das nahm ich ihm auf der Stelle ab; aber viel schlimmer war doch, dass ich mein Frühstück vergessen hatte! Also drückte ich ihm die 20 Mark in die Hand. Das war eine Menge Geld, so viel zahlte ich später jeden Monat für mein Zimmer oder ich hätte mir ein gutes halbes Pfund Kaffee dafür kaufen können. Dann zog ich meine Jacke aus; die übergab ich ihm mit einem Lächeln: „Viel Spaß damit!", drehte mich um - und lief quer über die Kreuzung wieder nach Hause, um mein Frühstück zu holen.

Zurück zum Bus habe ich einen anderen Weg genommen. Man kann ja nie wissen.

Prüfung in Turnhosen

Endlich kam die Prüfung, und dann ist Schluss - dachte ich zumindest. Am Prüfungstag zog ich mein FDJ-Hemd an und meine Jeans, natürlich eine „Levi's", und machte mich auf zur Berufsschule. Vorsichtshalber trug ich eine Sporthose drunter, und meine Ahnung trog mich nicht: Einer der Lehrer fiel - nach seinen eigenen Worten - „aus allen Wolken": Wie konnte ich es wagen, in einer Kapitalistenhose zur Prüfung zu erscheinen, noch dazu in Kombination mit dem „heiligen" Blauhemd?! (Die Farben waren ja auch haarscharf unpassend und quietschten unerträglich, aber das war jetzt nicht das Thema.)

Er rief den Direktor und ich musste mir noch eine Schimpfkanonade anhören. Wohlgemerkt, am Morgen des Prüfungstags! Beide meinten, ich solle sofort nach Hause gehen, mich umziehen und dann erst dürfe ich meine Abschlussprüfung schreiben.

Ich sah die beiden an und konnte nicht anders, ich lachte einfach los! In diesem Moment sah ich plötzlich die Dummheit dieses Kommunismus und der ihm verfallenen Lehrer - und zog vor den beiden meine Hose aus! Ich bat sie, gut auf sie aufzupassen, und ging in Sporthosen und FDJ-Hemd an meinen Platz. Nach der Prüfung holte ich mir meine Levi's wieder ab und zog sie an. Danach kam das FDJ-Hemd dran: „Das brauche ich jetzt nicht mehr, das können Sie behalten."

Natürlich war mir klar, dass ich meinen Traumberuf jetzt „an den Nagel hängen" konnte. Ich spürte auch, dass die jahrelange Liebe zu unserem „Arbeiter- und Bauernstaat“ sich verwandelt hatte in einen unbändigen Hass auf dieses Regime; und den im Griff zu behalten, das kostete mich viel Kraft und Disziplin.

Nach dem Abschluss der Lehre arbeitete ich in einer „Milchviehanlage“ in Herwigsdorf. Eine Milchviehanlage ist ein riesiger, modern eingerichteter Kuhstall; wir arbeiteten nicht früh *und* abends, also zweigeteilt, sondern früh *oder* abends, also im Schichtbetrieb.

Lieblingskolleginnen

Es dauerte eine Weile, bis ich mich damit abgefunden hatte, dass ich kein Tier gesundmachen würde, aber, so schwor ich mir: Lieber ehrlich bleiben als auf eine Lebenslüge hereinfallen! Dieses Motto half mir, den Schmerz zu überwinden.

Vieles von dem, was ich bei meiner Frau Doktor gelernt habe, weiß ich immer noch. Es war eine wirklich schöne Zeit und obwohl ich diesen Beruf nicht lernen durfte, habe ich vieles im Kopf behalten. Da ich die Liebe zu Tieren auch nie verloren habe und selber auch immer eigene Tiere hatte, habe ich ihnen im Laufe der Jahre ganz viel selbst helfen können.

In Herwigsdorf hatte ich viele nette Kollegen, aber zwei waren ganz anders, und die waren mir die liebsten. Eine davon war Christine, sie kam dazu, als ich schon zwei Jahre dort war; diese Freundschaft hat alles überlebt, einfach alles, bis heute.

Christine war von ihren Eltern kommunistisch erzogen worden, aber ganz anders, als ich es kannte. Es faszinierte mich, dass sie sich gegen Ungerechtigkeiten wehrte, dass sie den Mund aufmachte – manch-mal sehr weit und sehr laut, aber genau das war es ja, was mich so begeisterte.

Ich habe nur sehr wenige Menschen kennengelernt, die so leidenschaftlich ihre Ideologie vertreten und dennoch ganz einfühlsam und liebevoll sind. Es ist ja auch ein Glaube, den sie da hat, allerdings einen, der zum Scheitern verurteilt ist, was man ja überall in der Welt sehen kann. Wir beide haben bis heute gegenseitig unseren Glauben toleriert, ohne den anderen abzuwerten und ohne ihn bekehren zu wollen.

Wie sehr würde ich mir wünschen, dass Christine die Liebe Jesu für sich entdeckt. Warten wir's ab!

Tauziehen

Die andere Frau, die ich in Herwigsdorf kennenlernte und die mir ganz wichtig war, heißt Hanna. Hanna war auch oft laut, aber ganz anders. Hanna konnte es zum Beispiel ganz, ganz laut sagen, dass man gut war, was man falsch gemacht hatte, oder dass sie einen mochte. Sie war geduldig und so voller natürlicher Demut, dass ich mich immer wieder fragte, was es war, das sie so besonders machte.

Sie konnte einem die Hand halten und brauchte kein Wort zu sagen, und trotzdem war man getröstet. Wenn sie lachte, dann schepperten die Wände, und ob man wollte oder nicht, man musste mitlachen.

Und Hanna war beharrlich! Fast ein Jahr lang lud sie mich zu ihrem Hauskreis ein – und fast ein Jahr lang war ich nie um eine Ausrede verlegen! Ich wand mich wie ein Fisch im Netz, um nur nicht hingehen zu müssen. Aber alles hat seine Zeit und so war das auch bei mir in diesem Tauziehen: Einerseits waren da Hannas ständige Einladungen zum Hauskreis, andererseits nervte mich der Parteisekretär jede Woche, ob ich nicht wieder in die Blauhemdreihen zurückwolle, ja er bot mir sogar an, in die SED einzutreten!

Parteimitglied werden, das ging nicht so leicht; man brauchte zwei Parteimitglieder, die für einen bürgten, und nach einem Jahr wurde über die Aufnahme entschieden, und der Parteisekretär bot mir das an! Aber ich verstand nicht, wie der Mann auch nur daran *denken* konnte, mich umzustimmen.

Unverschämtheit!

Dieses Gezerre brachte mich dazu, eines Tages im Januar Hanna zuzusagen. Heute Abend sei ein besonderer Abend, hatte sie mir erklärt, ein Pfarrer Morgenstern sei da aus der Herrnhuter Brüdergemeine. Ich dachte: Gut, ich geh mal hin und dann kann ich ihr morgen sagen, dass das nichts ist für mich, und überhaupt: wer glaubt schon noch solch altes Zeug.

Da war noch eine Kollegin, die Hanna auch schon oft eingeladen hatte, und wir beschlossen, es heute Abend hinter uns zu bringen. Draußen war es saukalt, aber Heinzes hatten die gute Stube eingeheizt und wir beide wurden sehr freundlich begrüßt. Es saßen fast nur alte Frauen da; wir beide und Hanna und ihre Schwester Ursel, die unsere Chefin in der Milchviehanlage war, wir vier waren mit Abstand die Jüng-sten in der Runde.

Der Pfarrer kam und begrüßte alle sehr liebevoll. Dann meinte er, Gott habe ihm gesagt, heute Abend solle er das Thema ändern. O nein, am liebsten hätte ich laut losgelacht! Bei allem, was recht ist: Wie kann man nur mit Gott reden – und noch dazu ihn *hören*?

Ich beherrschte mich aber. Der Pfarrer schlug die Bibel auf und fing an, eine Geschichte vorzulesen, von Jesus natürlich und von irgendeiner Frau, einen Namen schien die nicht zu haben. Ich saß da – und traute meinen Ohren nicht! Was las der denn vor? In mir kroch die Wut hoch, am liebsten wäre ich sofort verschwunden! Frechheit, der las doch über *mich*!

In mir stiegen Bilder aus meinem eigenen Leben hoch, Dinge, die ich als normal empfunden hatte, aber auf einmal rumorten sie in mir, machten den Aufstand. Ich lebte nämlich recht freizügig und nahm mir in punkto Sex, was ich wollte, und es war mir egal, ob dieser oder jener Mann zufällig verheiratet war oder nicht. Und nicht nur, dass der Pfarrer mir den Spiegel vorhielt – schon das allein war eine Unverschämtheit –, da saßen so alte Frauen im Raum und die hörten alles mit!

Der Pastor las und las und ich musste ja zuhören, ob ich wollte oder nicht. Als er fertig war mit seinem Text, sprang ich auf, sagte: „Jetzt reicht's!", und ging zur Tür hinaus. Draußen war immer noch eine Saukälte und ich wohnte ganz am anderen Ende des Dorfes; aber von der Kälte spürte ich nicht viel, denn in mir kochte es.

Ich wusste nicht, auf wen ich die meiste Wut hatte: Auf mich, weil ich hingegangen war? Oder auf die alten Frauen, die nun wussten, welch einen Lebenswandel ich führte? Oder auf Hanna? Die hatte sicher dem Pfarrer alles brühwarm erzählt! Woher sollte er das denn sonst wissen?! Ich lag fast die ganze Nacht wach. Am liebsten hätte ich ja diesen Tag ausgelöscht aus meinem Leben. Es war mir sowas von peinlich, das Ganze!

„Kein Wort über dich"

Am nächsten Tag ging ich sofort zu Hanna und ließ meiner Wut freien Lauf. Geduldig hörte sie mir zu und schmunzelte sogar, als ich ihr sagte, das fände ich einfach nur ätzend, dass sie dem Pfarrer alles erzählt hätte, das ginge ihn doch gar nichts an, rein gar nichts!

Hochrot und völlig außer mir stand ich vor ihr – und als ich fertig war, meinte sie nur, das, was der Pfarrer vorgelesen habe, würde seit fast zweitausend Jahren in der Bibel stehen: „Nun nimm dich mal nicht ganz so wichtig! In der Bibel steht wirklich kein Wort über dich."

Fassungslos sah ich sie an: „Wenn das stimmt, dass der Pfarrer nichts von mir gewusst hat, wenn du ihm wirklich nichts von mir erzählt hast, wie konnte er das denn wissen? Dann muss es Jesus ja wirklich geben!"

Hannas Antwort war kurz und bündig: „Ja, so ist es." Mehr sagte sie nicht. „Und was mach ich jetzt?" Dieses Mal fiel die Antwort etwas länger aus: „Übergib dein Leben an Jesus, den Rest macht er dann schon." Also gut, das tat ich und zwar sofort: Im Kuhstall auf dem Gang kniete ich mich hin, neben den Hinterteilen der Kühe, und übergab mein Leben Jesus: „Jesus, bitte komm jetzt in mein Leben und nimm es in deine Hand."

Als ich damit fertig war, überfiel mich eine so große Freude, wie ich es gar nicht beschreiben kann. Ich lachte und weinte vor Freude und diese Freude war ab diesem Moment jahrelang mein Begleiter.

Später habe ich gelernt, dass man so etwas „Bekehrung" nennt. Übrigens, die junge Frau, die ich mitge-bracht hatte, bekehrte sich an diesem Abend; weil ich gleich am Anfang weggerannt war, wusste ich es an dem Morgen aber noch nicht.

Alles neu

Von dem Augenblick an, als ich mein Leben Jesus übergab, änderte sich mein Leben. Fast möchte ich sagen, dass die Schuppen mir gleichsam pfundweise von den Augen fielen - ich erkannte, was ich alles falsch gemacht hatte.

Ich musste mich so schnell und so offensichtlich verändert haben, selber bekam ich das gar nicht so mit; aber durch den neuen Blick aus meinen Augen tat ich so manches nicht mehr, was vorher für mich ganz normal gewesen war. Das fiel meinen Mitmenschen auf und so musste ich mir ständig Schmeicheleien anhören wie: „Jetzt bist du ja so heilig und redest nicht mehr mit uns, lieber betest du von früh bis abends das Vaterunser." Das stimmte nun gar nicht, aber wahrscheinlich konnten sie einfach nicht verstehen, was da mit mir passiert war.

Es war nicht leicht; heute weiß ich, dass Jesus in diesen Momenten mich sehr oft bewahrt hat, so dass dieser Schmerz gar nicht an mein Herz herankam. Im Gegenteil: Ich war weiter von seiner Freude erfüllt und wollte es am liebsten der ganzen Welt erzählen, egal ob es jemand hören wollte oder nicht! Ja, wes das Herz voll ist, davon läuft der Mund über. Mit meinen neunzehn Jahren dachte ich, jetzt könnte ich die ganze Welt aus den Angeln heben.

Ein paar Monate später wurde ich getauft und konfirmiert. Bei unserem damaligen Pfarrer Karl-Heinz

Kluge habe ich viel gelernt und auch mehr und mehr verstanden, was in der Bibel steht. Ein Jahr später fing ich an, Jungschar zu halten, und natürlich beteiligte ich mich an den wöchentlichen Jugendstunden.

Als „Nebenwirkung" entdeckte ich in dieser Zeit die Freude am Gitarrespielen und lernte es auch recht schnell; ob ich damals Noten kannte oder nicht, das weiß ich nicht mehr. Karl-Heinz Kluge gab mir ein kleines Heft, die „Mundorgel", und dazu eine Grifftabelle; damit lernte ich innerhalb weniger Wochen, auf der Gitarre zu begleiten.

Höhepunkte des Gemeindelebens waren die „Rüstzeiten" (denn „Freizeiten" halten, das durften nur die „Jungen Pioniere" und die „Freie Deutsche Jugend"), und bald war ich als Mitarbeiterin dabei. Ich ging ganz auf in der kirchlichen Kinder- und Jugendarbeit, durch die ich viele Christen kennen-lernte, auch welche aus der BRD, und fühlte mich in der „Jungen Gemeinde" rundum wohl.

Nordkorea mir ganz nah

Im Sommer 1979 fuhr ich das erste Mal in meinem Leben an die Ostsee. Mein Cousin Uwe* hatte in Markgrafenheide einen Bungalow ergattert für zwei Wochen Ferien mit seiner Frau und den beiden Kindern - und sie luden mich ein, ein paar Tage zu ihnen zu kommen.

Die Ostsee, das war ja mein anderer großer Traum! Als Schulkind hatte ich jedes Zeitschriftenbild von der Ostsee ausgeschnitten und sie dekorativ und schön verteilt an die schräge Wand in meinem Zimmer geklebt. Das war nun Jahre her; aber die Sehnsucht nach dem Unbekannten, Exotisch-Schönen und bis dahin Unerreichten war geblieben.

Jetzt war es endlich so weit, bald konnte ich die Ostsee mit eigenen Augen sehen - ich freute mich riesig! Der Zug fuhr von Dresden-Neustadt direkt bis Rostock, ich brauchte nicht einmal umzusteigen. Er hielt nur in großen Städten an.

Der Zug war brechend voll, ich wunderte mich, dass so viele Leute in den Urlaub fahren konnten. Denn das kostete zwar nicht gerade ein Vermögen, aber auch nicht gerade nichts; und ich wusste ja, was Otto Normalverbraucher in der DDR so verdiente.

Zeit, darüber nachzudenken, hatte ich allerdings nur bis Berlin Hauptbahnhof. Da, wo der Waggon halten sollte, war nämlich richtig was los, großer Bahnhof sozusagen - oder, besser gesagt, mir schien es ein heilloses Durcheinander zu sein. Uniformierte liefen aufgeregt hin und her und riefen einander zu. Dann stand der Zug.

Jetzt ging alles schnell, aber ganz ruhig: Die Männer in den dunklen Anzügen betraten den Waggon, holten alle Reisenden heraus und verteilten sie auf die anderen Waggons. Innerhalb weniger Minuten war der Wagen leer. Das heißt, ich saß noch auf meinem Platz.

Das gibt es doch gar nicht, meinen Sie? Ja, genau das dachte ich auch. Ich wartete die ganze Zeit, dass ich auch aufgefordert würde, den Waggon zu verlassen, stand sogar schon auf, um meine Sachen zusammenzupacken, aber niemand nahm auch nur im Geringsten von mir Notiz. Als wäre ich unsichtbar - keiner schaute mich an, keiner sagte etwas zu mir. Nun war der ganze Waggon leer. Ich öffnete das Fenster, es war so eins zum Runterklappen, und sah dem Treiben da draußen zu.

Jetzt kam noch mehr Bewegung auf den Bahnsteig: Zwei Männer rollten einen roten Teppich aus, eine

Musikkapelle marschierte auf und positionierte sich, alle in der Uniform unserer Nationalen Volksarmee. Und dann kam eine kleine Gruppe Asiaten! Einer der Männer, er lief ein, zwei Schritte vor den vier Begleitern, wurde von zwei Damen mit einem Blumen-strauß verabschiedet. Dann betraten sie den Waggon. Ich saß noch immer da und wunderte mich: Warum durfte ich sitzen bleiben, und alle anderen mussten raus?

Die Asiaten setzten sich auf die andere Seite des Ganges und schwiegen. Ich beobachtete die Männer; die behandelten mich wie Luft, gerade wie die von vorhin. Dann fuhr der Zug los.

Der Mann, dem man den Blumenstrauß überreicht hatte, schaute jetzt doch zu mir herüber. In seiner Sprache sagte er etwas zu den anderen Männern, die schauten nun ganz aufgeregt zu mir herüber. Der Mann, der da sprach, der war der Chef, das wurde mir klar, als er den anderen Herren gegenüber beschwichtigend die Hand erhob und zu mir herüber-kam. Er lächelte mich an und verneigte sich fast unmerklich, dann reichte er mir die Hand und stellte sich vor.

Sein Name war für mich unaussprechlich; aber was er mir dann leise in sehr gutem Deutsch erzählte, war mir höchst interessant. Als er erfuhr, dass ich in der Landwirtschaft arbeitete, in einer großen Milchviehanlage, war er sehr erfreut - vor mir saß eines der ranghöchsten Mitglieder des nordkoreanischen Ministeriums für Landwirtschaft!

Was der Mann mir erzählte, fand ich allerdings schrecklich; so etwas hatte ich noch nie gehört: Der Arbeitsalltag in der Landwirtschaft war wie beim Militär, morgens stellten sich alle in der Maschinenhalle in Reih und Glied auf! Sozialistischer Achtstundentag? Nein, in Nordkorea wurde jeden Tag zehn bis zwölf Stunden gearbeitet. So ein Bauernparadies, die wussten sicher nicht mehr wohin mit dem Ertrag ihres Fleißes! Aber nein, viele Menschen hungerten und manche verhungerten auch.

Ich erzählte ihm von mir: dass ich erst vor ein paar Monaten Jesus Christus gefunden habe und nun mit ihm durchs Leben gehe. Er nahm meine Hand, streichelte sie und sagte ganz leise: „Betet für unser Land." (Was ich und ein paar Freunde dann auch regelmäßig getan haben.) Er sprach auch darüber, dass es sein könne, dass er nicht lange auf freiem Fuße bleibe, wenn er in sein Heimatland zurückkomme, denn wenn nur einer seiner Begleiter zur Geheimpolizei gehöre, sei es jetzt aus mit ihm.

Völlig entsetzt über diese ganzen Ungeheuerlichkeiten, die ich da zu hören bekam, fragte ich ihn, warum die Menschen in Nordkorea sich denn nicht gegen das Regime wehrten. Wieder erzählte er mir von der herrschenden Schicht und es erschien mir ähnlich dem, was ich vom Naziregime gehört hatte; darüber wurde uns in der DDR ja immens viel erzählt.

Die Zeit bis Rostock verging wie im Fluge. Er schenkte mir ein paar Erinnerungen an diese Reise und an ihn, darunter ein Bilderbuch, das ich später mal meinen Kindern zeigen könne, einen Bildband über Pjöngjang und diverse Kleinigkeiten - das Bilderbuch habe ich tatsächlich oft mit meiner Tochter angeschaut und sie mochte die süßen Illustrationen sehr; den Bildband habe ich später meiner Mutter geschenkt. Bevor die Herren ausstiegen, nahm er mich nochmals beherzt in den Arm und flüsterte mir noch einmal ins Ohr: „Betet für unser Land!"

Ich habe viel darüber nachgedacht, warum er mich überhaupt darum gebeten hat; ich konnte es mir nur so erklären, dass er und seine Familie wussten, wer Jesus Christus ist. Wahrscheinlich kannten sie das Christentum aus vergangenen Zeiten und hatten sich Wichtiges daraus bewahrt. Ich erinnerte mich oft an diese Begegnung und habe immer eine tiefe Verbundenheit mit den Menschen dort empfunden.

Die Stern-Reportage

Wieder einmal bekam ich Post aus dem Westen. Meine Brieffreundin schickte mir einen Artikel, in dem schwarz auf weiß stand, von den Solidaritätsgeldern aus Ostdeutschland, die in die Sowjetunion gesandt wurden, würden Waffen gebaut, und die Russen würden sie auch in Afghanistan einsetzen.

Ich war schockiert! Wahrscheinlich wusste das die ganze Welt, nur wir, die wir hier im „Tal der Ahnungslosen" hockten, hatten keine Ahnung. Da hinten in der Oberlausitz konnte man ja kein Westfernsehen empfangen, wir waren wirklich wie die Blinden. Aber nun wusste ich es - und beschloss, bei der nächsten Solidaritäts-Sammlung keinen Pfennig mehr zu geben. Und die nächste Sammlung kam bestimmt: Immer wenn die Jahresendprämie ausgezahlt wurde, „durfte" man einen Beitrag zur Solidarität zahlen, „freiwillig" natürlich.

Die Sammlung kam. Die Reportage in der Tasche ging ich zu unserer Versammlung und wie gewohnt sprach der Parteisekretär von allem Möglichen, nur nicht davon, was mit dem Geld gemacht wurde. Also fragte ich ihn, was denn mit dem Geld passiere, das wir in den Solidaritätsfond einzahlen würden.

Als er, wie mir schien, genug rumgeeiert hatte, knallte ich ihm den Artikel auf den Tisch und sagte, er solle das lesen, damit er beim nächsten Mal wisse, was er sagen müsse, falls er gefragt würde. – Stille. Kein Wort, nichts war zu hören, eine fallende Stecknadel hätte uns zusammenzucken lassen, so bedrückend still war es plötzlich im Raum.

Besuch von der Stasi

Am nächsten Tag hatte ich Besuch von der Stasi. Ich bin bestimmt kein ängstlicher Typ, das bin ich nie gewesen, aber dieser Besuch machte mir Angst. Ich glaubte diesem Mann, der da durch mein Wohnzimmer marschierte, auf und ab, auf und ab, jedes Wort. Er fing an, meine Schränke zu öffnen, und mir wurde flau in der Magengegend: Sie waren fast ausschließlich mit Sachen aus dem Westen gefüllt, mit Kakao und Gummibärchen, Kaffee und Feinstrumpfhosen – alles schön sortiert, damit die Schokolade nicht den Geruch der Seife abbekam.

Schokolade stapelweise! Mein Onkel und meine Brieffreundinnen Ute und Ortrud sowie Pfarrer Becker vom Mittelrhein versorgten mich ja bestens. Irgendwann begriff ich, dass ich das gut und gerne auch weiterschenken könnte, aber so weit war ich damals noch nicht, und das Mindesthaltbarkeitsdatum interessierte bei Westsachen sowieso keinen.

Der Stasi-Mann durfte von Berufs wegen keine Westkontakte pflegen – kein Wunder, dass der Anblick meiner Schatzkammern voll der Wundersachen ihn nicht gerade besänftigte. Die Ananasdosen und Tütensuppen waren mir in dem Moment aber ziemlich egal, meine Gedanken kreisten nur um das Fach ganz unten. Hoffentlich ließ er diese eine Tür zu! Er war auch so schon wütend genug, das war seinen Äußerungen unschwer zu entnehmen. So sagte er mir sehr deutlich, Weiber wie mich würde man ohne Weiteres ruhig bekommen, da hätten sie so ein paar Methoden, die würden mich schon zum Schweigen bringen.

O Herr Jesus, bitte mach, dass er dieses letzte Fach nicht öffnet! Da tat er es schon - und sah das Radio, das nicht aus der DDR-Produktion war und mit dem man auch „Westradio" empfangen konnte (im „Tal der Ahnungslosen" allerdings nur Radio Luxemburg, das mit der tollen Musik). Jetzt tobte er und brüllte mich an.

Irgendwann verschwand er. Ich zitterte innerlich wie Espenlaub. Wochen, fast Monate konnte ich nicht darüber sprechen, so tief saß mir die Angst in den Knochen.

Irgendwann sprach mich mein Pfarrer an und fragte, ob denn alles in Ordnung sei, ich wäre so ungewöhnlich nervös und verschlossen. Da konnte ich endlich darüber sprechen. Das hätte ich ihm gleich sagen sollen, redete er mir gut zu, er habe laufend Besuch von diesen „Brüdern", und gab mir Ratschläge und Hinweise, was ich ganz bestimmt nicht tun solle, wo ich still sein sollte, in welchen Räumen ich mich nicht über Politik äußern sollte, und schon gar nicht in meiner Wohnung.

Wer das mit dem Stern-Artikel damals an die Stasi weitergegeben hatte, das weiß ich bis heute nicht. Später, nach der Wende, habe ich in der Akte meiner Nachbarin gelesen (die war sehr oft bei mir zu Besuch), dass ich gesagt habe, ich wünschte mir, diese Verbrecher hätten Durchfall und kurze Arme. Es dauerte eine Weile, bis ich darüber lachen konnte.

Ich hätte mir nach der Wende auch gewünscht, den Mann wiederzusehen, der damals bei mir war und meine Schränke inspizierte. Ich weiß allerdings nicht so genau, was ich getan hätte; in meinen Träumen trat ich ihn immer wieder in den Hintern.

Das Erlebnis hatte mich mehr mitgenommen, als ich für möglich gehalten hätte. Diese Angst, abgeholt und eingesperrt zu werden, hat sich so in mir festgesetzt, dass ich sie später nur mit Hilfe einer Seelsor-gerin loswerden konnte. Ich weiß noch, wie lange ich in jener Zeit brauchte, wenn jemand an meiner Tür klopfte, bis ich „Herein!" sagen konnte, und welche Gedanken mir dabei durchs Gehirn jagten. Und wie sehr ich gerade in den ersten Monaten danach so gut wie jeden verdächtigt habe, er hätte mich verraten.

Kaum zu glauben, aber in unserer ersten gemeinsamen Wohnung gab es sogar ein Telefon. Das war in der DDR eine Besonderheit, ein Privileg, das hatte längst nicht jeder! Grund - und gleichzeitig die Kehrseite der Medaille: Auf dem Dach war die Dorfsirene, und wenn die losging, hielten wir uns die Ohren zu! Sie heulte mindestens einmal die Woche: „Mittwoch um eins wird die Woche geteilt", interpretierte der Volksmund. Wenn das Telefon klingelte, wusste ich nie, ob jetzt eine Freundin anrief oder ob ich gleich Feueralarm auslösen musste - oder ob, Gott behüte, der imperialistische Westen zuzuschlagen beschlossen hatte.

Der Telefonapparat war noch so einer mit Wählscheibe und Hörergabel und natürlich hing er fest an der Schnur; auch die Endgeräte waren absolute Mangelware. Ganz anders freilich als das, was man am Telefon von sich gab: In der DDR war es ein offenes

Geheimnis, dass die Stasi fleißig mithörte - wahrscheinlich durfte es nur so viele Telefonanschlüsse geben, wie sie mithören und auswerten konnten. In meinem jugendlichen Übermut scherte ich mich aber nicht groß darum.

Eines schönen Tages telefonierte ich mit meinem Onkel im Westen, und dabei kamen wir auch auf die amtlichen Mithörer zu sprechen. Ich war gerade „richtig bei Laune" und gab meinen Spruch zum Besten, genau, den mit dem Durchfall und den kurzen Armen dazu, die ich diesen Experten wünschte. Das war das letzte Telefongespräch in unserem Zuhause - am anderen Morgen wurde der Apparat konfisziert!

Denke ich heute an diese Zeit zurück, weiß ich, dass Jesus mich behütet und getragen hat. Wie schon so oft vorher und auch später immer wieder!

3 Klaus

Im Frühjahr 1983 lernte ich Klaus* kennen. Erst wollte ich ihn gar nicht, er trug immer diese hässlichen Hosen mit dem Fischgrätmuster. Aber er war sowas von hartnäckig und ich merkte, dass er doch nicht so primitiv war, wie seine Beinkleider vermuten ließen, ja, er war richtig schlau! Das hat mir schon immer gefallen, Intelligenz ist, wie ich finde, sehr anziehend.

Klaus hat auch ganz fix die Fischgräthose gegen Jeans eingetauscht und da sah er gleich ganz anders aus. Im Herbst fuhren wir zusammen an die Ostsee in den Urlaub. In diesen Wochen wurde ich nicht nur schwanger; mir war auch klar, dass wir zusammenbleiben würden.

Familiengründung

Heiraten kam für mich erst einmal nicht in Frage. Arbeiten während meiner Schwangerschaft war auch nicht drin, denn ich hatte Darmprobleme, die ziemlich übel waren, und damals konnte man nicht viel dagegen tun. So sollte ich eben die meiste Zeit im Liegen verbringen, was ich auch tat, denn ich wollte um jeden Preis ein gesundes Kind bekommen. Wie froh war ich, als der Winter vorbei war und der Frühling einzog! Nie habe ich den Frühling so genossen wie im Jahr 1984.

Und dann wurde Nicole geboren, morgens um halb sieben; sie hatte ganz große dunkelblaue Augen. Natürlich sagten die Ärzte und Hebammen, dass sie noch gar nichts sehen konnte, aber das war mir egal. Bis heute bin ich überzeugt, dass Nicole mich erkannt hat, so intensiv hat sie mich angesehen!

Mein Mann wollte bei der Geburt nicht dabei sein. Einerseits war das gut, denn er konnte kein Blut sehen; am Ende hätte sich die Hebamme wohl mehr um ihn kümmern müssen, wenn er im Kreißsaal umgekippt wäre. Andererseits hätte ich es mir gewünscht, dass er gerade da dabei gewesen wäre; ich habe ganz sicher jede Frau beneidet, deren Mann bei der Geburt ihres Kindes dabei war.

Jetzt waren wir eine richtige kleine Familie, für uns begann eine ganz neue Epoche.

Mütterberatung

Die ersten Monate nach Nicoles Geburt wohnte ich noch in Herwigsdorf, in meiner sauer erkämpften Wohnung. Klaus kam jeden Tag nach der Arbeit zu uns; seine Arbeitsstätte war gar nicht weit von mir weg, gerade im Nachbarort. Dass er öfter nachts zu sich nach Hause fuhr - er wohnte noch bei seinen Eltern -, darüber ärgerte ich mich sehr oft; erst im Laufe der nächsten Jahre begriff ich, was zwischen ihm und seinen Eltern los war und wie sehr er unter ihrer Fuchtel stand. Aber das Leben ging weiter und ich hatte keine Zeit, mir darüber großartig Gedanken zu machen.

Am schlimmsten empfand ich immer den Tag, an dem ich zur Mütterberatung musste. Die Ärztin dort wollte mir unentwegt einreden, so würde ich mein Kind zum Tyrannen machen; in ein paar Jahren würde ich an ihre Worte denken und bereuen, was ich tat. Was war ich nur für eine unfähige Mutter! Wenn meine kleine Nicole weinte, nahm ich sie auf den Arm und beruhigte sie. Und der Gipfel: Nachts nahm ich sie mit in mein Bett, jeden Abend schlief sie auf meinem Bauch ein, und jeden Abend habe ich ihr dabei den Rücken gekrault!

Bereut habe ich von alledem nur eines: dass ich der Ärztin das überhaupt erzählt habe! Unsere Tochter ist kein Tyrann geworden, im Gegenteil, und heute macht sie es mit ihren Kindern genauso, wie ich es mit ihr getan habe. Nicole ist mit ihren Kindern genauso geduldig, sogar noch viel geduldiger, als ich es war. Das macht mich sehr, sehr froh.

Auch ihr Vater war ja der Meinung, ich würde sie falsch erziehen. Heute kann ich echt darüber lachen - ich sehe ja, was aus ihr geworden ist, aber dazu später mehr.

Guter Rat im Wasserdampf

Nicole war noch kein Jahr alt, als ich von Herwigsdorf wegzog nach Neundorf, zu Klaus und seinen Eltern. Am Anfang ging es recht gut - wäre ich nur nicht so selbstbewusst gewesen! Mit mir konnte man nämlich nicht einfach machen, was man wollte.

In Briefen an Ortrud, meine damalige Freundin aus dem „Westen", klagte ich meinen Kummer und dass es mir immer mieser ginge in diesem Haus, und sie gab mir den Rat: „Zieh aus, so schnell wie möglich!" Danach ging es ganz schnell, und Klaus´ Eltern spielten dabei eine aktive Rolle: Sie hatten den Brief mit Wasserdampf geöffnet und ihn gelesen! Das Donnerwetter war einfach nur schrecklich. Bis heute kann ich nicht begreifen, wie Menschen, die sich sogar Christen nennen, sich so verletzend verhalten können.

4 Die Wende

In der Zeit kurz vor der Wende erlebten wir verrückte Sachen, die uns verunsicherten und uns auch Angst machten. Zum Beispiel waren wir in Görlitz einkaufen, immerhin war dort das einzige Kaufhaus im Umkreis von hundert Kilometern. Auf dem Rückweg wollten wir eine Abkürzung nehmen und fuhren an der Neiße entlang. Siehe da, bewaffnete NVA-Soldaten hielten uns an und fragten, wo wir hinwollten. Es half alles nichts, wir mussten sofort umkehren - angesichts einer Maschinenpistole im Anschlag hat man kein Bedürfnis, zu widersprechen.

Eines Morgens, es war der 9. November 1989, weckte mich mein Mann und sagte: „Die Grenze in den Westen ist offen!“ Ich sah ihn an, „Ach was, du spinnst!“, drehte mich um und schlief weiter. Als ich es dann selber im Radio hörte, dass es tatsächlich so war, habe ich vor Freude geweint. Das war „mein“ 9. November.

Besuch mit Nebenwirkung

Nicht lange nach der Grenzöffnung fuhren wir in den „Westen“. Jetzt konnte ich endlich meine Brieffreundinnen besuchen, ohne einen Antrag zu stellen - dem sowieso nicht stattgegeben worden wäre, und dazu musste man ja Angst haben, dass man dafür eingesperrt wurde! Unsere erste Reise ging denn auch nach St. Goarshausen zu Ute. Es war, wie soll ich es sagen, einfach überwältigend, sich nach so vielen Jahren real zu sehen, einander anfassen zu können, zu umarmen.

Wir besuchten auch die Witwe eines Pfarrers, mit dem ich ebenfalls viele Jahre korrespondiert hatte, der aber leider ein Jahr vor der Wende heimgegangen war. Auf dem Weg nach Nastätten kamen wir an einer kleinen Werkstatt vorbei, an der ein Unimog-Zeichen prangte. Zur Wende hatte Klaus für die „Treuhand" einen KfL betreut, einen „Kreisbetrieb für Landtechnik". Technik war seine Welt; Klaus hatte drei Ingenieurstitel, und er träumte davon, eines Tages eine Unimog-Firma zu haben. Der Unimog war für ihn wie ein Aushängeschild für Mercedes.

Der Mann von der Treuhand, der uns den KfL übergeben hatte, war zuvor Geschäftsführer bei einem großen Unimog- und Baumaschinen-Unternehmen gewesen. – Wir hielten also an und ich redete Klaus gut zu, hineinzugehen und sein Anliegen vorzutragen. Herr Maus konnte zwar nicht direkt weiter-helfen, aber er hat vermittelt und dafür war ihm mein Mann sehr dankbar. So lernten wir den Geschäftsführer Hans Hebben kennen; im Laufe der Zeit hat sich zu ihm eine richtig gute Freundschaft entwickelt, die bis heute hält.

Dann ging alles relativ schnell: Wir kauften der Treuhand die Firma ab und konnten endlich loslegen. Im gleichen Jahr kam Nicole in die Schule und wir bzw. ich ließ mich überzeugen, dass eine Heirat doch nun endlich mal an der Zeit wäre. Hans Hebben wurde unser Trauzeuge, wir heirateten in Kell am See. Unseren Eltern hatten wir nichts gesagt, wir fuhren einfach weg und als wir zurückkamen, waren wir verheiratet. Die kirchliche Trauung war dann wenige Wochen später in Jonsdorf im Zittauer Gebirge, bei Pfarrer Kluge, der mich ein Jahrzehnt zuvor getauft und konfirmiert hatte.

Wenn Papa mal klingelt

Mit der Geschäftsgründung 1990 packte uns der Arbeitswahn. Mein Mann arbeitete sieben Tage die Woche. Ich nur sechs; den siebten Tag brauchte ich, um unser Haus vom Baudreck zu befreien - das hatten wir von einer Firma fertigbauen lassen. Nicole sah ihren Vater kaum noch, was irgendwann Auswirkungen hatte: Eines Sonntags kam er zum Mittagessen nach Hause, und weil er den Schlüssel vergessen hatte, klingelte er. Nicole ging zur Tür - und kam zurück: „Das ist der Mann, der sonntags zum Essen kommt." Nicole wuchs ja praktisch bei Oma und Opa auf; mich erlebte sie fast nur, wenn ich sie zu Bett brachte, und ihren Vater sah sie noch seltener.

Beide waren wir völlig geschockt - und wir hätten nicht unterschiedlicher reagieren können: Mein Mann tobte wie ein Wilder und pfiff Nicole zusammen, dass sie fast weinte. Mir schoss ein richtiger Schmerz durch den Körper und ich dachte nur noch: „Das muss sich ändern!" Doch das sollte noch ein paar Jahre dauern; diese Änderung trat ein, als Nicole und ich ein gemeinsames Hobby fanden.

Erfolgreich

Ohne zu übertreiben, kann ich sagen, dass wir sehr erfolgreich gewesen sind. Unser Arbeitspensum war enorm; über Jahre gab es keinen Urlaub, keinen freien Tag, nur arbeiten. Kurze Zeit nach der Geschäftsübernahme fingen die Bausparkassen in der ehemaligen DDR an zu boomen. Natürlich roch ich den Braten und wollte mir auch eine kräftige Scheibe davon abschneiden. Also arbeitete ich nebenbei - heute frage ich mich, wann dieses „Nebenbei“ wohl war - für eine der vielen Bausparkassen.

Auch dabei hatte ich Erfolg und es ging recht schnell. Das Geldverdienen machte richtig Spaß, ich konnte einfach nicht genug davon bekommen. Zwar dachte ich ab und zu mal an Nicole und dass ich doch mehr Zeit mit ihr verbringen sollte, aber das Geld zog noch viel mehr. Wahrscheinlich hatte ich zu dieser Zeit statt Pupillen DM- oder Dollarzeichen in den Augen; also ich war einfach nicht in der Lage, den Geldwahn zurückzufahren.

Ich spürte nicht einmal, wie sehr Klaus und ich uns auseinanderlebten, wie wir uns immer fremder wurden, immer seltener miteinander sprachen. Als ich es endlich begriff, war es für mein Empfinden schon zu spät, und ich beschloss: Sobald Nicole aus der Schule kommt, werde ich Klaus verlassen.

Der Deal

Nicole war gerade in die vierte Klasse gekommen, da wollte sie gerne reiten lernen. Dass sie ein Pferdenarr war, hatte ich schon lange bemerkt; so kam ich auf eine blendende Idee: Wenn sie bis zum Schuljahresende keine Drei und keine Vier im Zeugnis hätte und mir eine Bildungsempfehlung für das Gymnasium auf den Tisch legt, bekommt sie ihre erste Reitstunde.

Wie recht ich doch hatte, was ihren Fleiß betraf: Fortan kam keine Drei und keine Vier mehr nach Hause; sie steigerte sich enorm und an dem Tag, als sie mir ihre Bildungsempfehlung für das Gymnasium auf den Tisch legte, bekam sie ihre erste Reitstunde!

Nun saß ich jede Woche stundenlang da und sah zu, wie sie reiten lernte. Es war echt eine Herausforderung für mich, einfach nur dazusitzen und nur zuzuschauen. In meinen Gedanken lief ein Drama ab, was ich alles verpasse an Geschäften, ich sah mich schon völlig pleite am Straßenrand herumlungern. Das war natürlich völliger Quatsch, denn finanziell waren wir wirklich sehr gut gestellt.

Lange hielt ich es nicht aus; irgendwann sagte ich zu meinen verrückten Gedanken „Schluss!" und lernte selber das Reiten. Zu meinem eigenen Erstaunen ging das recht schnell; meine Reitlehrerin meinte, ich wäre wohl ein Naturtalent. Immerhin war ich ja schon bald vierzig.

Im Pferderausch

So frönten wir nun beide dem Reitsport, und das hatte zur Folge, dass ich zunächst Nicoles Wunsch erfüllte und sie ihre ersehnte Randy bekam. Randy war eine Shagya-Araberstute, Nicole liebte sie von ganzem Herzen. Wahrscheinlich waren wir gerade im Pferderausch - jedenfalls kauften wir Randys Sohn Gregor gleich mit; der war bereits ein Wallach und eigentlich ein ganz lieber Kerl.

Nun wuchs auch in mir der Wunsch nach einem eigenen Pferd. Eigentlich hätte Gregor gereicht, aber er war mir einfach zu klein. Ich wollte etwas Edles, Großes und möglichst Imposantes haben, ganz schwarz oder auch ganz weiß, was schließlich zu mir passt. War ich stolz und arrogant? Damals hätte ich eine solche Unterstellung weit von mir gewiesen!

Ich fuhr in eine Niederlassung des Gestütes Moritzburg ganz in unserer Nähe. Viele, viele Pferde zeigten sie mir – und dann sah ich sie! Und als ob sie geahnt hätte, worauf es mir ankam, zeigte sie mir ganz aus freien Stücken ihr ganzes Können, ihren Stolz, ihre majestätische Art. Samantha war eine reinrassige Trakehnerstute und wunderschön. Im Som-mer hatte sie ein mokkabraunes Fell, im Winter zeigte es sich tiefschwarz. Samantha war sehr gelehrig und leicht zu händeln, vielleicht hatte ich einfach nur ein Händchen für sie.

Als Fohlen hatte sie sich verletzt; deshalb brachten wir sie nach Leipzig in die Tierklinik, um zu untersuchen, wie man das in Ordnung bringen könnte. Die Korrektur konnte sofort beginnen, sie bekam einen speziellen Hufbeschlag, der am rechten Hinterbein höher war als am linken. Diesen sollte sie ein Jahr tragen, von Mai 1999 bis Mai 2000.

Samantha und Randy hatten in diesem Jahr beide nochmals ein Fohlen bekommen, so hatten wir insgesamt fünf Pferde. Für Samanthas Fohlen wählte ich einen Moritzburger Hengst aus und die kleine Sunshine, so hieß sie, bekam schon als Fohlen erste Preise bei der Fohlenschau. Später wurde sie eine eingetragene Herdbuchstute.

Samanthas Jahr mit dem speziellen Hufbeschlag war fast vorüber, da beschlossen wir, einmal einen ganzen Tag auszureiten.

5 Pferdefuß

„Mir passiert nichts, nie!"

Ganz früh fuhren wir los. Der Reiterhof war gleich im nächsten Dorf; schon länger hatten wir den Stall gewechselt, um unseren Pferden näher zu sein. Eine Freundin, Anita, wollte auch unbedingt mit ausreiten. Kein Problem für uns, denn Pferde zum Reiten hatten wir ja drei an der Zahl. Anita hatte keinen Reithelm und so gab ich ihr meinen, denn wie immer war ich der Meinung: „Mir passiert nichts, nie!" So auch an diesem Tag.

Es war warm, sehr warm an diesem 24. April 2000, dem Ostermontag im Jahr 2000. Am meisten freute sich Nicole über die Wärme, denn sie wollte mit Randy unbedingt baden gehen, und so beschlossen wir, zunächst den Waldweiher anzusteuern. Der lag wirklich mitten im Wald, ein paar Kilometer vom Reitstall weg. Schon beim Losreiten wurde mir klar, dass es um Anitas Reitkunst nicht zum Besten stand, also wurde das Tempo gedrosselt und wir ritten eine gute Stunde in den Wald hinein, Richtung Weiher.

Es war wunderschön, dieser Frühlingsritt so mitten durch den Wald; als der sich öffnete, sahen wir, etwas tiefer gelegen, den Weiher, umgeben von herrlichen Wiesen. „Randy, guck mal, hier kannst du baden!" Keine Chance, das Pferd wollte einfach nicht. Unsere Überredungskünste erinnerten mich an Don Quijote und Sancho Pansa, an die Szene mit der Möhre, die dem Esel vor der Nase baumelte, und wie sie auf ihn einredeten.

Nun ja, wer nicht will, der hat schon, und der Klügere gibt nach, also gaben wir auf, legten uns faul auf die Wiese und ließen die Pferde grasen, so viel sie wollten. Es war so friedlich! Hier hatten wir nicht einmal Handy-Empfang.

Keiner von uns dreien ahnte nur im Geringsten, was in den nächsten Minuten passieren würde. Wer nach einer Stunde des Faulenzens wieder weiterwollte, das weiß ich nicht mehr; Nicole hatte keinen Sattel, deshalb wollte ich ihr aufs Pferd helfen und gab meins an Anita weiter, die bereits auf Gregor saß. Anita hielt das Halfter fest – und auf einmal fing Samantha an, vorn zu steigen und dann mit den Hinterbeinen nach Gregor auszuschlagen!

Ich stand bei Nicole und half ihr aufs Pferd; aus dem Augenwinkel sah ich meine Stute immer aggressiver werden. Wahrscheinlich habe ich in diesem Moment alle Sicherheitsregeln ausgeblendet – jedenfalls rannte ich, ausgerechnet ich, die ja nie was falsch macht und der nie etwas passieren würde, ich rannte von hinten dazwischen und das ausgerechnet in dem Moment, als Samantha erneut vorn hochstieg und nach hinten auskeulte. Dumm nur, dass ich genau in Schlaghöhe und -richtung stand! Wie oft hatte ich früher den Mädchen, die mit Lust und Liebe unsere Pferde betreuten, immer wieder eingeschärft: Bitte nicht von hinten an das Pferd hintreten, es kann euch nicht sehen und die Gefahr ist groß, dass es ausschlägt und ihr verletzt werdet!

Rettungsaktion im Funkloch

Und jetzt tat ich genau das, was ich anderen immer verboten hatte: Ich stand hinter Samantha – und bekam ihren Tritt mitten ins Gesicht. Erst kürzlich, viele Jahre später, hat mir Anita erzählt, dass sie diesen Schlag immer und immer wieder hört.

Ich schrie wie am Spieß, flog durch die Luft und landete mit dem Hinterkopf auf einem Stein, ach was: *auf dem einzigen großen Stein, der da herumlag!* Es gab nochmals einen dumpfen, aber lauten Knall. Da lag ich nun und überall, aus Nase, Ohren, Mund und Hinterkopf, kam das Blut gelaufen. Geistesgegenwärtig legte Nicole mich in die stabile Seitenlage, sprang auf mein Pferd und ritt los, um aus dem Funkloch herauszukommen.

Ich mag mir gar nicht vorstellen, was das Mädchen ausgehalten hat in diesen Minuten. Vor lauter Angst und Stress fiel sie auch noch vom Pferd, aber das wurde ihr gar nicht richtig bewusst, sie ging sofort wieder hoch und weiter. Sie informierte den Reiterhof, die riefen den Rettungsdienst. Nicole hatte die Unfallstelle gut beschrieben und im Reitstall wussten sie genau, wo das war; so konnten sie dem Rettungsdienst ganz genaue Angaben machen.

Anschließend sprangen sie in die Autos, fuhren zum Waldrand und stellten sich alle paar hundert Meter und an jeder Gabelung als Lotsen auf, damit der Rettungswagen auch gewiss nicht erst suchen musste.

Danke euch allen, die ihr da wart! Ihr habt sofort geholfen, ohne lange zu fragen. Es dauerte keine halbe Stunde, bis der Arzt und sein Team da waren; noch heute ist es mir unbegreiflich, wie das gehen konnte, in so kurzer Zeit diese Strecke zu schaffen!

Wir kannten uns gut, der Arzt und ich, denn Nicole und sein Sohn waren Klassenkameraden. Er sah mich liegen und sagte Nicole nach einer kurzen Untersuchung, sie müsse mit dem Schlimmsten rechnen. Für Nicole war das keine wirkliche Überraschung mehr, so abgeknickt, wie mein Kopf dalag, das Kinn fast auf der Brust – und überhaupt:

Hätten sie nicht gewusst, wer da lag ... Also ich war fast nicht mehr zu erkennen.

Zusammengeflickt

Die Rettungsmannschaft brachte mich nach Zittau ins Krankenhaus, dort gaben sie mir eine Überlebenschance bis Mittag, dennoch forderten sie bei der Uniklinik Dresden den Rettungshubschrauber an.

Es wurde Mittag und ich lebte immer noch. Während des Fluges wurde in Dresden alles für die OP vorbereitet und nach der Landung ging es sofort in den Operationssaal. Dort wurde ich knapp sechs Stunden lang zusammengeflickt; mein Mann und Nicole warteten so lange im Vorraum.

Als der Arzt herauskam, fand Nicole als Erstes die Worte, ihn zu fragen, was denn nun mit ihrer Mutti werden würde. Der Arzt zuckte mit den Schultern – sie hätten alles getan, mehr ginge nicht, jetzt läge ich im Koma. Abwarten! Die Wirbelsäule sei kaputt und sollte ich überleben, würde ich vom 4. Halswirbel abwärts gelähmt sein und im Rollstuhl sitzen.

Ich habe Jahre gebraucht, um zu begreifen was damals passiert ist. Und genauso lange habe ich versucht zu verstehen, warum Gott das ausgerechnet mit mir gemacht hat. Gerade ich, die ihn doch so enttäuscht hatte! Eigentlich müsste ich doch in seinen Augen ein totaler Versager sein, aber er hat mir Gnade über Gnade geschenkt! Das verstehe, wer will.

Auch sprachen sie von Verletzungen des Kleinhirns, die zur Folge haben würden, dass ich geistig schwerstbehindert sein werde. Was für eine niederschmetternde Aussicht.

6 Himmelsglück

Seit Jahren suche ich Worte. Worte, die beschreiben können, wie das ist, wenn man stirbt. Eben habe ich nachgelesen und man sagt, in der deutschen Sprache gebe es eine halbe Million Wörter, nur fällt mir keines ein, das wirklich treffend beschreiben könnte, was ich erlebt habe. Versuchen will ich es trotzdem.

Dunkel. Still. Allein.

Nachdem mein Pferd mich ins Gesicht getreten hatte, war es einfach nur dunkel. Dunkel und unglaublich still. Eine Stille, wie ich sie seitdem nie wieder erlebt habe. Es war wie ein ganz stiller Ort, es gab keine Bewegung. Es war wie ein Nichts, kein Denken, kein Reden, kein Sein. Eine völlig losgelöste Welt - *meine eigene Welt*. Es war, als ob alles stillstünde, wie wenn sich absolut nichts bewegt und nichts da ist, nur Dunkel und Abwarten. Stille.

Dann hörte ich meine Gedanken. Sie drehten sich um die Frage, was mich jetzt wohl erwartete: Was kommt jetzt auf mich zu? Dass es vielleicht seltsam ist, wenn man sich selber beim Denken zuhört, das fiel mir überhaupt nicht auf; heute erlebe ich es immer wieder, dass ich ähnlich wie damals meine Gedanken höre und tief in mir mit ihnen kommuniziere. Eines war aber klar: Jetzt ist dein Leben vorbei. Jetzt stirbst du!

Da war kein Erschrecken, keine Angst in diesem Gedanken, nichts. Es war einfach nur die Feststellung einer Tatsache: „Jetzt stirbst du." Dieser Gedanke, den ich mir selber zusprach, war keineswegs befremdlich, nein, im Gegenteil, es war so normal, wie wenn man jemandem „Guten Tag" sagt oder „Auf

Wiedersehen", ganz ohne Emotionen - eben außergewöhnlich ruhig.

Vielleicht kann ich es auch so sagen: Ich ging ein Stück des Weges, und zwar ganz allein. Dass ich allein war, das spürte ich nun nämlich sehr deutlich. So muss man sich wohl im Weltraum fühlen, wenn man darin schwebt, nur dass es eben dunkel war, und ich war ganz allein. Wie lange es so still und dunkel war, kann ich unmöglich in einem Zeitbegriff ausdrücken, es kam mir vor wie eine kleine Ewigkeit.

Der Film meines Lebens

Ist da nicht doch jemand da? Vielleicht bin ich ja gar nicht allein: Erst verschwommen und undeutlich lief da ein Film ab. Was war das? Jetzt konnte ich auch gut erkennen, was das für ein Film war - schon nach wenigen Bildern war mir klar: Das war *mein* Film, es war *mein Leben*, was ich da gerade sehen konnte.

Da waren Szenen, die mich verwirrten, und in mir kroch Unruhe hoch; diese Unruhe, besser gesagt: mein schlechtes Gewissen, spüre ich immer noch, wenn ich an diesen Moment denke. Es waren Situationen aus meinem Leben, bei denen ich mich fragte, was ich dazu sagen sollte, wenn ich etwas sagen müsste. Sie waren zum Teil so deutlich, fast kleinlich und penetrant, dass mir immer wieder die Tränen in die Augen schossen.

Es war mir so peinlich und bei vielem konnte ich nicht begreifen, warum ich es überhaupt getan hatte. Dabei war ich mir jetzt ganz sicher, dass ich oft kein bisschen darüber nachgedacht hatte, als ich es tat. Und nun sah ich, was ich damit angerichtet hatte.

Nicht zu fassen, wie unüberlegt wir oft reagieren und auch handeln, dabei haben wir doch den Kopf nicht nur dazu, dass wir ihn zum Frisör tragen!

Bis auf den Film war immer noch alles dunkel und still. Ich hörte nur meine Gedanken, die sich, je mehr ich zu sehen bekam, fast überschlugen. Und dann der große Gedanke, der mir durch den Kopf ging, der mich fesselte, mir Angst machte und der wie eine Parole in dicker, fetter Schrift vor mir stand: „Wie soll ich damit vor Gott bestehen?“ Wenn er mich jetzt fragte: „Carmen, was hast du dir hierbei gedacht?“, - mir war klar, dass ich keine Antwort geben könnte! Eine Szene aus diesem Film soll das verdeutlichen; es ist wahrscheinlich die peinlichste, aber ich will es wagen.

Rache ist – Dummheit!

1992. Ich saß mit einem Mann in einem schicken Auto. Der Mann war ein paar Jahre älter als ich, und wir fuhren auf der Autobahn. Wir wollten in die alten Bundesländer, dort sollten wir in einer Firma Buchhaltung lernen und solche Sachen. Ein erfahrener und bewährter Buchhalter zeigte mir, was ich wissen musste, um eine Firma zu führen, ein Jahr lang war ich alle sechs Wochen für fünf Tage dort.

Dieses Mal war also ein leitender Mitarbeiter dabei. Schon während der Fahrt knisterte es derart, dass es mir jetzt beim Zusehen total peinlich war. In diesem Moment fiel mir ein, dass ich ein paar Jahre zuvor einen Schwur ausgesprochen hatte: Ich schwor mir, meinen Mann, der mich mit einer anderen Frau betrogen hatte, ebenfalls zu betrügen, und zwar so, dass er absolut nichts davon mitbekommen würde!

Was für eine Festlegung, die ich mir damals antat! Als ich diese Szene sah, fiel mir wieder ein, dass ich mich damals amüsierte bei dem Gedanken daran, wie gekonnt ich die Sache durchziehen würde, ohne dass Klaus die leiseste Ahnung davon hätte.

Aber jetzt, wo ich das ganze Ausmaß meiner Rache sah und begriff, was ich da angestellt hatte, war ich entsetzt und traurig. Und ich hatte Angst, weil mir klar war, dass ich nun dafür geradestehen musste. So ist das – erst wenn man etwas im Ganzen sieht und alle Zusammenhänge versteht, dann begreift man wirklich, wie viel Schuld man sich damit auflädt. Was ich zuallererst erkannt und begriffen habe: Es ist absolute Dummheit, so etwas zu tun und dann noch zu denken, es wäre richtig!

Ich war so traurig; ich hatte das Gefühl, in meiner eigenen Traurigkeit zu ertrinken. Heute weiß ich, und das ist mir mehr als klar, dass ich um einiges schlauer ins Leben zurückgekommen bin, als ich es vorher war.

Wie lange das alles dauerte, kann ich nicht sagen; aber es kam mir unendlich lang vor, viel zu lang. Ich hatte ja mit 19 mein Leben Jesus gegeben; aber was es wirklich bedeutet, mit ihm zu leben, auch im Alltag, das hatte ich nicht verstanden – das wurde mir erst nach dem Unfall so richtig klar.

Wie dankbar bin ich dem Herrn Jesus, dass er eben nicht so ist wie wir, nicht so oberflächlich und unverbindlich. Er liebt uns, weil wir *sind*, einfach nur, weil wir da sind, und nicht, weil wir etwas tun und uns mit diesem Tun profilieren würden. Wenn wir ihm dann noch unser Herz geben, dann lässt er uns niemals wieder los. Ich hatte Jesus losgelassen, einen großen Bogen um ihn gemacht. Dabei hatte ich sogar ein schlechtes Gewissen, immer wieder, und trotzdem versuchte ich, meinen Kopf durchzusetzen.

Was ist daraus geworden? Letztendlich etwas Gutes. Gott sei Dank!

Ein Meer voller Liebe

Mit einem Mal war um mich herum ein wunderbares, warmes Licht. Die Dunkelheit war vorbei; ein helles Licht, das nicht blendete, ein warmes und schützend einhüllendes Licht löste in mir ein unglaubliches Glücksgefühl aus. Mich durchströmte eine Woge voller Liebe, einer Liebe, die man nicht beschreiben kann - ich konnte es damals nicht und daran hat sich bis heute nichts geändert. Ich wusste plötzlich: Ich bin zu Hause, da, wo ich immer schon hinwollte, und es ist gut hier, so gut, das kann gar nicht mehr besser werden!

Wie in einem gigantischen Ozean voller Liebe schwebte ich - und ich hatte das Gefühl, dass ich noch eine Chance bekomme, auch angesichts dieses peinlichen Films. Ich wünschte mir, dieser Moment würde nie vorübergehen: Jetzt sollte die Zeit einfach stehenbleiben! Gleichzeitig begriff ich aber, dass die Zeit gar keine Rolle mehr spielte, sie war einfach weg.

Wenn man zwischen Himmel und Erde ist und plötzlich alles versteht, alles erkennt, alles sieht und alles weiß, dann ist es das Normalste zu wissen, dass man nun alles hat, wonach man immer Sehnsucht hatte. Man hat keine Fragen mehr, weil man weiß: Man ist am Ziel und hat alle Antworten.

Ich sah Menschen, die schon lange hier waren. Eine Frau begrüßte mich mit einem leichten Schulterklopfen und fragte, was ich denn hier wolle, ich wäre doch noch gar nicht dran.

Diese Frau kannte ich! Sie war Jahre zuvor an Krebs gestorben, regelrecht zugrunde gegangen war sie: zum Skelett abgemagert, unfähig, sich noch zu bewegen, ohne ein einziges Haar auf dem Kopf und unter qualvollen Schmerzen. Aber nun stand sie vor mir und sie war wunderschön. Sie war eine so schöne Frau, dass ich gar nicht aufhören konnte, sie anzusehen! Die Freude, die ich verspürte, als ich sie sah, trage ich bis heute in meinem Herzen.

Was machen die denn?

Ich ging weiter und sah mich selbst daliegen. Doch warum lag ich denn auf einem OP-Tisch? Ich sah, wie die Ärzte und Schwestern eilig um mich herumliefen und an mir schnitten, schraubten, Knochen zusammensetzten, und sie schienen in meinem Kopf nach irgendetwas zu suchen. Und was war das für ein seltsamer Kasten da, in dem alles hüpfte und wackelte in verschiedenen Farben? Und all die vielen Zeilen untereinander! Dieses Gehüpfe anzuschauen, das machte mich ganz hibbelig, so unruhig wie die Zeichen auf dem Kasten.

Am Hals hatten sie mir einen seltsamen Schlauch in den Körper geschoben und auch durch den Mund ging noch ein Schlauch. Warum ich da lag, wusste ich nicht, und ich verstand auch nicht, was sie da an mir und mit mir taten. Ich sah nur, dass es mein Körper war, aber ich war doch gar nicht mehr darin. Warum konnten sie das denn nicht sehen? Ich sah sie doch auch!

Ich sprach sie an, aber sie reagierten einfach nicht. Dabei wollte ich doch nur sagen, dass es mir total gut ginge, dass sie aufhören könnten, dass sie sich die Zeit sparen könnten. Dass ich zu Hause sei. Ich sah auch, wie mein Gesicht halb aufgeklappt war und die Ärzte Stangen, Schrauben, Platten einsetzten. Ganz so einfach, wie es aussah, war es nun wahrscheinlich doch nicht, das sah man an ihren schweißnassen Gesichtern. Sie redeten nicht viel. Heute vermute ich, dass sie sich einfach nur beeilen wollten im Wettlauf mit dem Tod und eben taten, was sie in dieser Zeit tun konnten. Irgendwann hörte ich auf, ihnen etwas sagen zu wollen; sie hörten mir ja doch nicht zu.

Dass ich da schon an einer Herz-Lungen-Maschine hing, war mir nicht klar. Mein Herz schlug ja nicht mehr von selbst und atmen konnte ich auch nicht mehr alleine. Das Rohr, von dem ich meinte, sie suchten damit etwas in meinem Kopf, war das Mikroskop, mit dessen Hilfe sie mich zusammenflickten.

Himmelsglück ...

In diesem Moment spürte ich, dass mich jemand an die Hand nahm. Es war, als ob sich der Himmel noch einmal öffnete, als ob ich zu der Riesenportion Glücksgefühl noch eine hundert-, ja tausendfache Steigerung dazubekäme. Ich spürte Seine Hand in meiner, aber ich traute mich nicht, Ihn anzusehen. In mir war ein Gefühl von Ehrfurcht und Hochachtung, so gewaltig, dass ich Ihn unmöglich anschauen konnte.

Aber das war nicht wichtig, überhaupt war nun gar nichts mehr wichtig. Seine Berührung gab mir alle Antworten auf jede Frage, die ich je gedacht oder gestellt hatte. Alles war so klar, wie es niemals klarer hätte sein können. Ich war zu Hause! Ich schwamm auf einer weichen, warmen Welle des Glücks, der absoluten Zufriedenheit und einer nie enden wollenden Seligkeit - und dieser Zustand würde ganz bestimmt nicht mehr aufhören, dachte ich mir. Schließlich war ich doch zu Hause!

Es war so schön zu wissen, dass ich nun endlich an dem Platz angekommen war, nach dem sich jede Menschenseele sehnt. Wie oft singen oder sprechen wir davon, doch sind wir uns dessen überhaupt bewusst, wie das ist, zu Hause zu sein, bei Gott dem Vater?

Nun ging Er mit mir über eine Wiese und ich sah an jedem Blattrand Tautropfen, die wie Diamanten funkelten. Das Licht brach sich darin wie ein Regenbogen, sie war so schön, diese Wiese! Das Grün der Stängel und Blätter war ein ganz sauberes Grün, so rein und perfekt, wie eben nur ein Himmelsgrün sein kann. Die Blütenblätter strahlten wie Edelsteine, in denen sich wie in den Tautropfen das Licht brach in allen Farben, die es gab, und dazu noch ein paar mehr.

Wie viele Farben mochten das sein? Waren es hundert oder tausend oder vielleicht Millionen? Ich weiß es nicht. Heute weiß ich aber, dass alle Dimensionen, mit denen wir hier auf der Erde leben, im Himmel aufgehoben sind; und selbst wenn ich die Farben beschreiben *wollte*, oder das Licht: es geht nicht anders, als ich es hier tue.

Die ganze Zeit über sprachen weder Er noch ich und das war auch gar nicht nötig. Unser Verstehen ging weit über jegliches Verständnis hinaus. Alles, was ich je sagen könnte, wurde bereits gesagt allein durch Seine Nähe. Da war kein Missverständnis, keine Unwissenheit, keine Frage oder Unklarheit.

Nichts stand zwischen Ihm und mir und ich wusste: Er ist die Antwort.

Ich bin mir sicher: Alle Fragen, die ich je in meinem Leben gehabt hatte und Ihm gerne mal gestellt hätte - in diesem Moment spielten sie absolut keine Rolle mehr. Die Antwort kannte ich ja bereits. Es ist wie ein Vorhang, der, wenn er geöffnet wird, die Antwort freigibt auf alle Fragen, Zweifel, Unklarheiten und was auch immer in uns stecken mag. Oder wie ein Spiegel, in den wir hier im irdischen Leben hineinsehen, dann aber sehen wir auch das, was dahinter ist.

Genau das ist die Wahrheit und Klarheit, über die schon die Bibel spricht. Das, was man fühlt, das ist so gewaltig und groß und so voller Liebe, dass es einfach nicht fassbar ist. So gerne wir es auch immer wollen, man kann es nicht in eine Form bringen, nicht fasslich oder erklärbar machen. Es ist, was es ist: Gottes Reich, mein neues Zuhause.

Dazu kommt noch diese übersprudelnde Freude, die keinem auch noch so kleinen Zweifel an der Existenz und der Liebe unseres Herrn eine Chance gibt, sich einzunisten. Ich bin unserem Herrn so dankbar, dass ich ein Stück dieser Freude mit auf die Erde zurückbringen durfte. Immer noch fehlen mir die Worte, die diese Pracht und diesen Reichtum beschreiben könnten, der durch die Gegenwart unseres Herrn zu uns und durch uns fließt.

Wir gingen weiter und Er zeigte mir ein Stück des Himmels, doch immer nur so viel, wie ich gerade verkraften konnte. Wir liefen über Straßen, die aussahen, als wären sie mit Goldsteinen gepflastert. Die Häuser waren offen und wunderbar lichtdurchflutet. Es kam mir vor, als hörte ich die ganze Zeit den wunderbarsten Gesang, der je an mein Ohr gekommen war; woher er kam, wusste ich nicht. Alles um mich herum war mir vertraut - und doch war so anders als alles, was ich gewohnt war.

Aber wichtiger als all das, was ich zu sehen und zu hören bekam, war die Nähe zu Ihm und Seine überdimensionale Liebe, die ich spürte und die von mir total Besitz ergriff. *Ich bin froh, dass ich einen kleinen Anteil dieser Liebe in mir behalten habe und mit zurückbringen durfte als Sein Geschenk, nicht nur für mich, sondern auch für die Menschen um mich herum.*

Das Engelskonzert

Wir liefen an einer hohen Mauer entlang, die wie Perlmutt aussah - ein wunderschöner, zarter, bunter Glanz in den herrlichsten Pastellfarben, die man sich denken kann. Mir war klar: Dahinter ist etwas, das für mich sehr, sehr wichtig ist, und das wollte ich unbedingt sehen und erreichen! Also ging ich mit Ihm sehr zielstrebig an dieser Mauer entlang, bis wir vor einem überdimensional großen Tor standen.

Nun sah ich das, was ich schon die ganze Zeit gehört hatte - fasziniert schaute ich auf das größte Engelskonzert, das man sich vorstellen kann. Was ich da zu hören bekam, übersteigt jede vorstellbare Klangfülle, die je ein menschliches Ohr vernahm. So hörte ich mindestens eine Million Lieder über unseres Gottes Liebe, Größe, Gnade, Allmacht, Wahrhaftigkeit und Würde, wohlgemerkt: gleichzeitig! Und nicht eins störte sich am Klang des anderen.

Ich konnte all die verschiedenen Melodien und Texte heraushören. Das war Anbetung pur, was ich da zu hören bekam! Was für eine Musik, was für

Musikanten! *Kein Wunder, dass ich danach zwei Jahre lang keine irdische Musik hören konnte.*

Die Engel, die musizierten, waren überdimensional groß und sie hatten Flügel. Das waren die einzigen Engel mit Flügeln, die ich sah. Auf ihren Flügeln sah ich Flammen, die jedoch nichts verbrannten; es war ein so wunderbarer, großartiger Anblick, dass er mich vor Freude weinen ließ. Ich war so glücklich, so vollkommen zufrieden, dass ich es mir nie hätte vorstellen können, jemals wieder von hier wegzugehen. Warum auch, ich war ja endlich zu Hause!

... und zurück?!

Da hörte ich Seine Stimme zu mir sprechen; es war die Stimme Jesu, der mich ja die ganze Zeit begleitet hatte. Er sagte, jetzt müsse ich zurück.

Zurück?! Ich war so geschockt, dass ich ihn jetzt zum ersten Mal ansah. „Nein!!", war das Einzige, was ich herausbrachte, und als ich Jesus dabei anschaute, fiel ich um.

Das war zu viel! Diesen Anblick konnte ich nicht ertragen. Allein der Blick aus seinen Augen auf mich hätte gereicht, um mich umfallen zu lassen. Wie zwei Sterne, dazu schauten sie mich mit so einer Intensität an, dass es mir durch und durch ging. Das kann niemand aushalten, ohne den Boden unter den Füßen zu verlieren! Aus diesen Augen kam die ganze Liebe, die ich spürte, seit ich mit einem Mal im Himmel war - kein Wunder also, dass ich das nicht aushielt.

Jahrelang, genauer gesagt: sieben Jahre lang konnte ich darüber nicht reden, so groß war die Ehrfurcht vor diesem Augen-Blick. Das heißt nicht, dass meine Ehrfurcht heute kleiner wäre; doch habe ich inzwischen besser gelernt, damit umzugehen.

Da lag ich nun am Boden und fragte mich, was ich tun könnte, um nicht von hier wegzumüssen, aber Jesus bückte sich zu mir herab, strich mir über das Haar und sagte, er würde mir zeigen, warum ich zurückgehen solle. *(An diese Berührung habe ich bis heute eine für jedermann sichtbare Erinnerung, davon erzähle ich später.)*

Er half mir aufzustehen und zeigte mir als Erstes ein Haus - ich wusste auf den ersten Blick, dass es an der Ostsee stand. Zunächst ging er mit mir durch alle Räume und sagte, ich würde dort hingehen und darin wohnen. Dann gingen wir über den Hof bis an den hinteren Zaun. Dort sah ich am Horizont neun lange Stangen, die immerzu wackelten. Was das war, wusste ich nicht, doch es schien mir sehr wichtig zu sein.

Er zeigte mir auch eine Familie, die ich lange anschaute. Sie kamen von weither, das sah man ihren Gesichtern an; doch es waren liebe Blicke, die ich in ihren Gesichtern sah. Als ich mich umdrehte und über den Hof schaute, waren da viele Frauen und auch Kinder, und an Gesichtszügen und Kleidung konnte man erkennen, dass es eine Gesellschaft „aus aller Herren Länder" war, die sich dort mit viel Freude tummelte. Der Anblick dieser bunten Gruppe löste in mir ein tiefes, warmes Gefühl aus.

Dann sah ich einen großen Hof mit vielen Menschen, es waren Tausende, und alle seltsam gekleidet; viele von ihnen trugen Kleidung, die schon sehr, sehr alt war und heute von keinem Menschen mehr getragen wurde.

Von dort ging es weiter zu einer Kirche mit einer großen grünen halbrunden Eingangstür, im ersten Stock war ein Kirchsaal. Ich schaute noch genauer hin und sah - mich! Da stand ich auf der Kanzel und erzählte irgendetwas, und vor mir saßen Menschen und hörten mir zu. Ich sah es zwar, erkannte mich auch, konnte aber nicht verstehen, was ich da tat und warum.

Als ich mich umdrehte, sah ich meine Tochter. Sie trug einen Talar und auf dem Arm hatte sie ein süßes blondes Mädchen mit wunderschönen blauen Augen; neben ihr stand ein blonder Mann und ich wusste: Das war ihr Mann. Nanu, dachte ich, das heißt wohl, dass Nicole nun Pastorin ist und einen blonden Mann geheiratet hat? *(Mir war in diesem Moment nicht klar, dass sie tatsächlich erst 15 Jahre alt war.)*

Dann sah ich viele Räume, die am Ende immer größer wurden; ich stand vorn und sprach von der Herr-lichkeit des Herrn. Es waren Räume in verschiedenen Regionen der Erde; das erkannte ich daran, dass auch Städte dabei waren, in denen Moscheen standen, was ich an dem Halbmond auf der Spitze unschwer erkennen konnte.

Nun nahm Jesus meine Hand und sagte noch einmal, es sei Zeit zu gehen. Niemals würde er mich alleine lassen. Er sei immer da, wo ich hingehe, und ich brauchte nicht eine Sekunde Angst zu haben. Er sei es, der mich gerufen habe, und er sei es, der mir seine Worte in den Mund legen werde, und egal was auch komme: Ich sei nicht allein.

Er wollte mich also tatsächlich zurückschicken, wie konnte er mir das nur antun?! Wieder zurück, weg von all der Herrlichkeit hier, dem goldenen Straßenpflaster und den lichtdurchfluteten Häusern, der wunderbaren millionenfachen Engelsmusik - und von Ihm?

Da sah ich nochmals meine Tochter. Sie hielt eine weiße Tafel in der Hand, auf der stand mein Name

– ein wunderschöner Name, der wie Musik klang und der mein Herz höherschlagen ließ. Welch herrlicher Name! Und unter dem Namen stand das Datum von heute, aber es war ein Geburtsdatum, kein Todestag. Meine Tochter sah mich an. Sie weinte und als ich sah, wie die Tränen wie in Zeitlupe herabfielen, sagte ich zu Jesus: „Ja, ich gehe zurück. Das kann ich ihr nicht antun." Aber eigentlich wollte ich nicht wirklich auf die Erde zurück.

Alles fremd

Ich versuchte es tatsächlich ein letztes Mal, ihn dazu zu bewegen, mich hier, zu Hause zu lassen. Denn auf einmal sah ich mich wieder daliegen.

Ich lag auf meinem Krankenbett, den Kopf in vielen Verbänden, und konnte mich nicht rühren. Mein ganzer Körper war mit nassen Laken abgedeckt und um mich herum schwirrte das Geräusch von ganz vielen Propellern, die kalte Luft auf mich bliesen.

Dass man damit versuchte, meine Körpertemperatur abzukühlen, das wusste ich ja nicht. Nicole hat es mir später erzählt. Meine Körpertemperatur stieg und nichts half, außer eben die Ventilatoren-Luftkühlung.

Ich sagte zu Jesus: „Du siehst mich liegen, ich kann nicht laufen." Er hob mich hoch und meinte, das sei für ihn kein Problem – und damit ging es in einem gewaltigen Tempo zurück.

In diesem Moment war das für mich das Schlimmste, was mir passieren konnte: Ich spürte, dass ich wieder in meinem Körper war. Es war eng und unangenehm. Heute weiß ich: Das Gefühl, das ich damals spürte, war Trauer, tiefe Traurigkeit, Verlassensein. Wahrscheinlich hätte man das Depression genannt, aber dieses Wort kannte ich nicht.

Ich hatte nur eines im Sinn: Wie könnte ich zurück, also wieder *nach Hause* kommen? Ich verstand die Welt nicht mehr - die, in der ich jetzt war, sowieso nicht, und die, aus der ich kam, die verstand ich auch nicht mehr. Warum hat Jesus mich zurückgeschickt? Diese Frage bohrte ständig in mir. Hat er denn nicht gewusst, wie glücklich, selig, froh und unbeschreiblich zufrieden ich bei ihm war?

So verging ein Tag nach dem anderen, einer wie der andere, und in jeder einigermaßen wachen Minute dachte ich darüber nach, ob es nicht doch eine Möglichkeit gab, zurückzugehen - bis ich wieder einschlief. In diesen ersten Tagen nach dem Unfall habe ich die meiste Zeit verschlafen und es ist ganz sicher etwas dran an der Redensart, dass man sich gesundschläft. Oft waren es zwischen 18 und 20 Stunden, die ich verschlief, und alle Überlegungen, was ich tun könnte, verliefen sich im ständigen Wiedereinschlafen.

Im Schlaf fühlte ich mich dem Herrn ganz nah und ich bin noch immer überzeugt, dass er persönlich über meinen Schlaf gewacht hat. Ich spürte so sehr seine Nähe, dass ich das Gefühl hatte, ich wäre in seinen Arm gefallen und würde da zur Ruhe kommen. Auch spürte ich seine Liebe so nah und so vollkommen in mir, dass ich beim Wachwerden oft nicht begreifen konnte, dass ich nicht mehr „dort" war, sondern hier.

Und „hier" war es nicht warmherzig, nicht liebevoll, sondern immer etwas kühl und distanziert; nein, das konnte unmöglich jetzt mein Zuhause sein! Die Gefühle, die ich in mir hatte, die waren nicht von dieser Welt, und andere Gefühle, die in dieser Welt normal sind, waren mir ja nun vollkommen fremd geworden. Es war sehr schwierig für mich, mich an dieses neue Zuhause zu gewöhnen, mit all den Schläuchen und dem Gepiepe und den Leuten, die ständig kamen und gingen, und immer nur liegen! Es fiel mir so schwer, das zu akzeptieren; ich hoffte jede Minute, dass Jesus mich nach Hause zurückholen würde.

7 Ein himmelweiter Unterschied

Ich könnte es fast auf die Stunde genau sagen, wann ich meinen Körper verlassen habe: Am 24. April 2000 um die Mittagszeit. Das war der Moment, an dem ich den dumpfen, lauten Knall hatte - als mein Kopf auf dem Stein aufschlug. Das war nicht nur meinem Schädel zu viel, auch meine Uhr blieb stehen.

Plötzlich spürte ich eine intensive körperliche Freiheit. Von da an bekam ich von dieser Welt nichts mehr mit; das einzige Bild, das mich in diesem Zustand an diese reale Welt hätte erinnern können, war der OP-Saal, ich konnte ja bei meiner eigenen Operation ein wenig zuschauen. Dass das aber die ganz normale Welt war, das war mir nicht eine Sekunde lang klar; zu diesem Zeitpunkt war ja meine „Festplatte" komplett „gelöscht", ich hatte keinerlei Erinnerung mehr.

Und spätestens als Jesus mich von da wegführte und mich ein kleines Stück vom Himmel sehen ließ, spätestens da war für mich diese Welt verschwunden, aufgelöst, einfach nicht existent - aber da, wo ich jetzt war, da verspürte ich grenzenlose Freiheit. Also wirklich grenzenlos, das meine ich wirklich so. Das nenne ich „mein eigenes Koma", im Unterschied zu dem künstlichen Koma, in das ich später gelegt wurde.

Ich dachte, nein: ich *wusste*, dass ich nun genau dort war, wo ich schon immer hinwollte, nämlich *am Ziel*. Seit Jahren frage ich mich, wie man das nennen könnte; damals hatte ich diese Frage nicht, mir war einfach klar: Ich bin zu Hause!

Dort ist jegliche Dimension aufgehoben. Wie soll ich das erklären? Mir ist es ja sonnenklar: Dank dieser überdimensionalen Liebe und weil wir im Himmel ohne Wenn und Aber wahrhaftig ein Teil unseres Herrn sind, deshalb sind wir so sehr eins mit ihm, dass kein bisschen Trennung erkennbar und spürbar ist. Manchmal *empfinden* wir in diesem Leben ja tatsächlich, dass wir Jesus ganz nahe sind (in Wahrheit ist er jedem, der sich ihm anvertraut hat, immer ganz nah); unsere Seele *spürt* es und unsere Gefühle sagen uns: Jesus ist da!

In der Bibel steht, dass nichts und niemand uns trennen kann von der Liebe Gottes, die in Jesus Christus ist, unserem Herrn, und das gilt für unser Leben auf der Erde; nur empfinden wir es manchmal doch anders. Aber dort gibt es einfach nichts mehr, was unseren Gefühlen weismachen könnte, Jesus wäre weit weg. Wir wünschen uns hier im Leben oft, Königskinder zu sein, und wir sagen auch, dass wir als Kinder Gottes Königskinder sind; aber dort fühlen wir uns tatsächlich wie Königskinder, ohne Abstriche.

Bestimmt ist das sehr schwer zu verstehen, wenn wir nur diese eine Welt kennen, in der wir leben – wahrscheinlich so schwer, wie es schwer zu erklären ist.

Am übernächsten Tag, das war der 26. April, hat Jesus mich zurückgebracht; das Tempo, mit dem es zurückging in diese Welt, war enorm. Lichtgeschwindigkeit vielleicht. Es muss Spätnachmittag gewesen sein – mein Herz begann wieder zu schlagen und ich brauchte zwar noch Unterstützung, aber ich atmete wieder selbstständig. Wegen der extremen Kopfverletzungen und zur Schmerzbehandlung legten die Ärzte mich ins künstliche Koma. Und das fühlte sich *so* anders an!

Es war einfach ein himmelweiter Unterschied zu der grenzenlosen Freiheit von gerade eben: Ich hatte das Gefühl, dass ich in eine Zwangsjacke gesteckt wurde, so eng und beklemmend - und das Schlimmste: Ich war weg von zu Hause! Plötzlich raus aus diesem Ozean voller Liebe! Das war für mich wie „noch-mal sterben“, nur viel furchtbarer.

Ob andere Patienten das auch so wahrnehmen, das weiß ich nicht; ich kann nur von meinem eigenen Erleben berichten. Ich habe es jedenfalls überdeutlich gemerkt und kann genau unterscheiden zwischen den beiden Zuständen. In „meinem eigenen Koma“ hatte ich von der realen Welt um mich herum absolut nichts wahrgenommen, abgesehen von der Szene im OP; in der übrigen Zeit seit dem Aufprall merkte, spürte, sah ich nichts von dem, was um mich herum vorging.

Aber das dämmerte mir erst, als ich im künstlichen Koma lag. Für jemanden, der das liest, mag es schwer zu verstehen sein; aber für mich ist dieser Unterschied das Selbstverständlichste der Welt.

Lächelnde Augen

Ich sah in zwei Augen, die lächelten. Seltsam sahen diese Wesen aber schon aus. Dabei hatten sie wirklich freundliche Augen und dass sie lächelten, war unschwer zu erkennen. Alle trugen grüne Anzüge und eine Kappe, die nur die Augen frei ließ. Aber die Augen lächelten, das war gut.

Die Sprachen, die ich hörte, waren sehr unterschiedlich, Sprachen verschiedener Völker. Einmal hörte ich eines der grünen Wesen etwas Russisches murmeln, dann schimpfte eines auf Griechisch; meistens hörte ich natürlich Deutsch, ab und zu etwas Englisch und auch Arabisch.

Interessant war, dass ich alle Sprachen bestens verstand. Und nicht nur verstand, sondern auch selbst sprach. (In der Schule hatte ich nämlich nur eine Fremdsprache lernen dürfen und die auch nicht wirklich richtig.)

So wie die alle aussahen mit ihren grünen Anzügen und den Kappen, also das waren wohl alles Außerirdische. Bestimmt zog man sich hier so an, das war sicher ihre ganz normale Kleidung. Von meinem Zuhause waren sie nicht, bei uns zieht man sich ganz anders an. Mein Kleid dort ist wunder-, wunderschön! *Heute weiß ich natürlich, dass man sich auf einer Intensivstation so anziehen muss.*

Wo war ich bloß?! So viel ich auch versuchte nachzudenken, es wollte mir nichts einfallen. Ich lag da und mein Kopf war leer. Neben mir stand immer noch der Kasten, den ich schon gesehen hatte, als sie an mir rumschnitten und -schraubten, und immer noch zappelte da drin etwas.

Ich wollte immer sprechen, aber irgendwie ging das nicht - oder sprach ich doch? Ich konnte jedenfalls hören, dass ich mit ihnen sprach, aber es kam keine Reaktion. Konnten sie meine Sprache denn nicht verstehen? Es mussten also doch fremde Wesen sein. Nun gut, dann warte ich jetzt einfach mal ab.

Dass ich jetzt „nur" wieder in meinem Körper war, das wusste ich nicht. Ich hatte ja alles vergessen, und das, was ich nun sah und hörte, war fremd für mich: die Apparate mit ihren Piepstönen, mein Puls, die Bildschirme mit ihren hüpfenden Wellen, mein Blutdruck und Herzschlag, die Menschen mit ihren außerirdischen Anzügen, die nicht wirklich ein Gesicht hatten.

Wegen der Kopfverletzung wurde ich total abgeschottet, damit ja keine Bakterien ins Gehirn kommen - und dass man da solche Anzüge tragen muss, bei denen nur die Augen sichtbar sind, das wusste ich alles nicht. Zum Glück erkannte ich, dass ganz viele dieser Augen mich *freundlich* ansahen! Ich konnte auch jedes Wort verstehen, das über mich und mit mir gesprochen wurde - auch die Worte, die mir weh taten: „Das wird doch sowieso nichts mehr mit ihr, am besten wäre sie gleich gestorben." Wie konnten sie nur so etwas sagen?! „Die Gehirnverletzung - sie wird ganz verblödet sein und dazu gelähmt von oben bis unten. Wer will sich schon um *sowas* kümmern?" Dass der Herr meine Wirbelsäule repariert hatte und das zweifellos komplett und perfekt, das wussten sie ja noch nicht. Ich wusste es auch nicht, aber ich wusste auch nicht, dass sie gebrochen war, und hätte ich es gewusst, hätte ich mir darunter wahrscheinlich nichts vorstellen können.

Nun, die Vokabeln kannte ich natürlich nicht, aber den Tonfall verstand ich genau: abwertend, lustlos, arrogant. Ich kann nur jedem, der Komapatienten pflegt, ans Herz legen: Überlegen Sie sich genau, was Sie im Krankenzimmer sagen und wie Sie es sagen; manchmal kommen Komapatienten nämlich zurück und dann könnte es peinlich werden.

Alles, was um mich herum vorging, war mir vollkommen neu, meine Festplatte war ja gelöscht; doch bereits in der Zeit des künstlichen Komas nahm ich ganz, ganz viel in mich auf. Ich hatte das Gefühl, dass da eine Unmenge an Neuem auf mich einstürmte; dabei war es wahrscheinlich gar nicht so, ich lag ja still im Bett.

Gleich am ersten Tag nach meiner Rückkehr war ein ganz anderer Arzt hier als sonst, er untersuchte mich ganz lange und ganz besonders meinen Kopf und den Hals. Es dauerte so lange, dass ich darüber einschlief. Als ich wieder munter wurde, sah ich in lachende Augen und es standen eine ganze Menge dieser grün Angezogenen um mich herum und freuten sich. Meine Gedanken murmelten: „Warum bloß? Was gibt es da zu freuen? Ich will zurück, dort ist es viel besser!“ Ich verstand überhaupt nichts, sah nur diese Mischung aus Freude, Staunen, Entsetzen und Zweifel, ich kann es kaum beschreiben.

Dass sie sich freuten darüber, dass meine Wirbelsäule wie durch ein Wunder geheilt und zusammengewachsen war, das wusste ich ja nicht.

Dabei waren sie ja nur gekommen, um mir zu gratulieren, wie sie mir erzählten. Eine dieser weiblichen Wesen, eine ziemlich junge, stand da und weinte nur. Irgendwie kam sie mir bekannt vor. Aber es war alles so anstrengend - also schlief ich gleich wieder ein.

Schon mal gesehen

Als ich wieder zu mir kam, saß da so ein junges Wesen auf der einen Seite meines Bettes und ein größeres auf der anderen. Beide trugen diese grünen Anzüge, bei denen man nur die Augen sehen konnte.

Da fiel es mir ein! Dieses junge Wesen hatte ich doch schon mal gesehen!? Ganz sicher, ich kannte es, und es war ein junges Mädchen, das konnte ich sehen. Sie musste ganz viele Haare haben, denn unter der grünen Kappe wölbte sich eine dicke Wulst, und an den Löckchen, die an der Seite hervorlugten, konnte ich erkennen, dass es Haare waren.

Ah richtig: Das war doch die, die gestern geweint hat. Geweint, aber mit lachenden Augen! Stimmt, und sie hat mir auch etwas vorgelesen, und nach dem Vorlesen sagte sie irgendwas auf Latein und dann: „Amen" - ja, genau, so war es.

Nun nahm sie wieder das dicke Buch, schlug es in der Mitte auf und fing an zu lesen. Heute hatte sie das grüne Tuch vor dem Mund nicht um und es sah schön aus, wie sich ihr Mund beim Sprechen bewegte; und immer, wenn er das tat, kamen Worte von ihren Lippen in ihrer hellen, kräftigen und doch ganz sanften Stimme.

Ob sie mich verstehen kann, wenn ich etwas sage? - Wird sie schon, versicherte ich mir selbst, und so fing ich an zu sprechen. - Aber warum schaut sie nicht zu mir her, wenn ich mit ihr rede? Ich höre es doch!! *Ich ahnte ja nicht, dass es nur meine Gedanken waren und dass ich nicht wusste, wie Sprechen geht.*

„Wie lange muss ich noch hierbleiben?" Das fragte ich mich immer wieder, denn schließlich wollte ich doch nach Hause zurück, in mein wunderschönes Zuhause, das ich immer wieder vor mir sah. Es gab Zeiten, in denen die Sehnsucht danach kaum auszuhalten war, wie mir schien. Diese Umgebung hier machte mir Angst, auch wenn ich immer wieder in lächelnde Augen sehen konnte.

Einmal saß ein Mann bei mir. Ich kannte ihn nicht, aber ich spürte in mir eine große Unruhe. Je näher er kam, desto unruhiger wurde ich. Dann kam eines der grünen Wesen und nahm den Mann weg von meinem Bett. Da spürte ich wieder Frieden in mein Herz einziehen. *Dass es mein eigener Mann war, wusste ich nicht; es dauerte noch eine ganze Weile, bis mir das klar wurde.*

Während dieser Aufregung hörte ich mich auf einmal wirklich sprechen. Aber was sage ich – das war doch kein Reden, das war nur ein seltsamer, fast gurgelnder Ton, der sich gar nicht so anhörte, als würde da ein Mensch sprechen! Eigentlich hörte es sich eher nach einem Tier an, was da aus meinem Mund kam, echt tierisch sozusagen. Und es hatte mich unglaublich angestrengt, diese Unruhe, so dass ich sofort wieder einschlief.

Als ich meine Augen öffnete, war das junge Mädchen wieder da, und von Neuem grübelte ich, wer das denn nun sein mochte. Wenn sie da war, spürte ich etwas in mir, das ich mir nicht erklären konnte, doch half mir das auch nicht weiter. „Ich weiß einfach nicht, wer sie ist", mehr fiel mir wirklich nicht ein.

Dann las sie wieder aus diesem dicken Buch vor und dieses Mal verstand ich auch einiges davon. „Er weidet mich auf einer grünen Aue": ja, das kannte ich, dieses Grün – und dann sah ich sie vor mir, diese wunderschöne Himmelswiese mit den herrlichen Blumen.

„Und ob ich schon wanderte im finsteren Tal, bist du bei mir, dein Stecken und Stab schützen mich" – das kannte ich auch, sehr gut sogar, und ich spürte wieder die Dunkelheit von damals, als mir klarwurde, dass ich jetzt sterben würde. Also war Er schon da bei mir gewesen und ich hatte gar nicht allein durch dieses dunkle Tal gehen müssen. Woher wusste sie das?

Als ich hörte, was sie da las, spürte ich Jesu Hand wieder in der meinen, und ein großer Friede zog bei mir ein. „Und ich werde bleiben im Hause des Herrn immerdar" – wo denn sonst, das war doch mein Zuhause – „Und da will ich endlich wieder hin!", klang es in meinen Gedanken.

Jetzt wusste ich mit einem Mal, woher ich das Mädchen kannte: Jesus hatte mir ein Bild gezeigt von ihr, da hatte sie ihre Tochter auf dem Arm, das kleine, süße, blonde Mädchen, und sie war es auch, die eine Tafel mit meinem Namen trug und weinte. Wer konnte das nur sein – aber wieso war sie denn so jung? Ich hatte sie doch um einiges älter gesehen!

Mir war klar: Das war sicher etwas sehr Wichtiges, dass sie hier war und dass sie auch dabei war auf den Bildern, die Jesus mir gezeigt hatte. Aber wer war sie? – Solche Überlegungen sind sehr anstrengend, irgendwann schläft man davon ein.

(Ein Arzt erklärte mir, das sei meine Tochter; doch wirklich begriffen habe ich das erst Jahre später.)

Ausländisch

Ich verstand immer noch nicht, warum ich hier war, und vor allem, warum sie mich nicht wegbrachten. Meine Stimme wurde besser und ich konnte sogar verstehen, was ich sagte.

Da stand eine Frau an meinem Bett (dass die einen Wesen, die hier herumschwebten, Frauen waren, andere aber Männer, das hatte ich inzwischen begriffen). Diese Frau fragte mich, wie es mir heute gehe, und ich sagte ihr sofort, sie solle mich von hier wegbringen, es würde schon keiner merken, wenn ich nicht mehr da sei.

Dass ich dabei Russisch sprach, war mir überhaupt nicht bewusst. Aber war das nicht das Normalste von der Welt? Hatte sie denn gerade eben nicht auf

Russisch gebrummelt? Sie lächelte mich an, sagte mir, dass ich bestimmt bald von hier wegkönne, und verabschiedete sich.

Jeden, der mir etwas erzählte, konnte ich verstehen: die russische Ärztin, die mir gut zuredete, die Studentin, die mir auf Griechisch gute Besserung wünschte, den Araber, der seine Beobachtung vor sich hinmurmelte, die Polin, den Inder - in der Annahme, ich wäre sowieso „abwesend", gebrauchten sie einfach ihre Muttersprache, und für mich war es das Normalste der Welt, dass ich sie alle verstand!

Viel später erst erkannte ich, dass es im Himmel keine Sprachbarriere gibt: Egal welche Sprache man spricht, jeder kann es verstehen, und egal, in welcher Sprache man antwortet, man wird von jedem verstanden. So ist das „zu Hause" nun mal.

Im Krankenhaus blieb ich in Erinnerung als „die Frau, die so gut Ausländisch spricht". Leider hat sich dieses Phänomen mit der Zeit verabschiedet: aber ich weiß ja, wohin - und wir alle, die wir Jesus Christus lieben, werden diese Fähigkeit bekommen, dann, wenn wir wirklich zu Hause sind.

Alles völlig schleierhaft

Die Zeit verging und obwohl ich mit Zeit nichts anfangen konnte ... „Was ist schon Zeit? Ich weiß es nicht. Es muss etwas sein, was irgendwie wichtig ist, zumindest für diese Wesen" - die hörte ich nämlich oft davon reden -; „zu Hause habe ich diesen Begriff nie gehört."

Ich glaube, die Zeit an sich ist etwas, was Gott gehört, und wahrscheinlich ist Gott selbst die Zeit. Doch der Zeitbegriff von uns Menschen hat mit der

Zeit bei Gott gar nichts zu tun. Inzwischen habe ich begriffen, dass der Mensch zum Sklaven der Zeit geworden ist, sich ihr freiwillig unterworfen hat.

Irgendwann wachte ich in einem anderen Zimmer auf, da war ein ganz anderes Licht und noch jemand, der neben mir in auch so einem Bett lag. Es war ein Mann, er trug nur Unterwäsche, und was für seltsame! Man sagte mir, er sei aus Frankreich und habe einen Schlaganfall gehabt.

Ich weiß nicht mehr warum, aber ich habe mich maßlos aufgeregt über diese seltsame Unterwäsche. Nur gut, dass er mich nicht verstehen konnte! In diesem Zimmer mussten die Schwestern mich im Bett festbinden, weil ich ständig in Gefahr war, heraus-zufallen.

Ich weiß nicht mehr, wie lange ich in diesem Zimmer bleiben musste, aber irgendwann war ich in einem, in dem noch drei andere Frauen waren, die ich nicht kannte.

Sie taten Dinge, die ich lange nicht verstand. So gingen sie jeden Morgen an das Teil, wo sie Wasser einlaufen ließen, und fummelten dann mit einem kleinen viereckigen Tuch an sich rum. Dann steckten sie das Tuch wieder ins Wasser, drückten es in ihren Händen aus und fingen wieder von vorn an. Das ging so jeden Morgen und jeden Abend und ich fragte mich, warum. *Jetzt weiß ich, wie man das nennt: sich waschen. Damals wusste ich das nicht.*

Wenn sie damit fertig waren, kam eine Frau ins Zimmer mit einem Brett, das sich von ganz allein bewegte, und verteilte die Sachen, die darauf standen, auf einem anderen Brett, das stand aber still. Dann gingen alle dorthin und fingen an, die Dinge, die da rumlagen, sich in den Mund zu stecken. Das war vielleicht komisch!

Dazu nahmen sie so ein rundes, kleineres Teil und schütteten sich das in den Hals. Dass man das „Mahlzeit einnehmen" nannte und dass man mit Messer, Gabel oder Löffel isst und dass das Essen auf einem Servierwagen ins Zimmer gefahren wurde, das habe ich alles später gelernt.

Ich wollte fragen, was sie da tun und vor allem warum, doch wusste ich einfach nicht, wie man diese Teile nennt, mit denen sie beschäftigt waren. In der Mitte des Tages brachte die Frau ein anderes Brett. Was da stand, das sah einfach anders aus, und von dem Zeug stieg so ein Rauch auf. Die drei saßen dann da, stopften sich das alles wieder in den Mund und redeten und lachten dabei, und dann, wenn alles weg war, gingen sie nach draußen.

Ich überlegte fieberhaft, wo sie nur hingegangen sein könnten, denn wenn sie zurückkamen, roch es ganz seltsam im Zimmer. Ich überlegte auch ganz häufig, wie sie sich eigentlich durch den Raum bewegten und wie das wohl war, wenn man diese langen Teile so bewegen konnte, dass man damit vorankam.

„Dieses viele Überlegen macht total müde" – es war mir sowieso am liebsten, wenn ich einschlafen konnte, denn dann konnte ich mich immer heimlich nach Hause bringen.

Dass ich damals 18 bis 20 Stunden am Tag schlief, wusste ich nicht. Dass ich keinerlei Erinnerung mehr hatte an alles, was ich bis zu meinem Unfall gelernt hatte, auch nicht an Gefühle und Empfindungen, das wusste ich auch nicht; so war mir vollkommen fremd, was für den Rest der Menschheit ganz normal ist: Hunger, Durst, Angst, Schmerz, Traurigkeit, Liebe und auch so etwas wie Gerüche waren mir fremd.

Das erste Gefühl, das zurückkam, war der Geruchssinn – wenn die drei Frauen nach dem Essen hinausgingen und dann wieder zurückkamen, brachten sie einen meiner Meinung nach sehr schlechten Geruch mit. Klar, sie hatten geraucht, das weiß ich jetzt auch, aber damals war mir das völlig schleierhaft. Ich hatte keine Ahnung, was die da taten und warum; dabei hatte ich eine Woche zuvor selber noch gequalmt wie ein Schlot! *(Die Sucht nach Zigaretten sitzt wohl wirklich nur im Kopf.)*

Man stelle sich vor, angeblich sollte ich dem einzigen deutschen Pfeifenraucherinnen-Club angehören! Aber nein, was ist denn das? Böhmische Dörfer!! Bis zum heutigen Tage, Jahre später, ist mir von der Erinnerung an meine Raucherkarriere nichts zurückgekommen.

Erfolgserlebnis

Einmal saß ein junger Arzt an meinem Bett. Wie es mir gehe, wollte er wissen, ob ich Wünsche habe, ob ich vielleicht Fragen hätte, und noch so einiges. Ich verstand kein bisschen, was er von mir wollte, und erzählte ihm, in der Nacht hätte ich einen Traum gehabt und den könne ich nicht verstehen. Den wollte er gern hören.

So erzählte ich ihm, dass ich nachts immer Flügel habe und damit könne ich nach Hause fliegen. Er fragte nach, wo mein Zuhause denn sei, und ich erzählte ihm vom Himmel und dass ich nur ganz kurz hier sei, bald gehe es wieder nach Hause.

Und dann hatte ich doch eine Frage an ihn: Was sie eigentlich in meinem Kopf gesucht hätten, und ob sie denn nicht mitbekommen hätten, dass ich gar nicht dagewesen war? Da wurde er plötzlich ganz unruhig. Als ich mich dann noch beschwerte über die Fernseher, die danach an meinem Bett standen, dass die immer so unruhig gezappelt hätten, ging er zur Tür hinaus, um einen anderen Arzt zu holen, der es genauer wisse, was da passiert sei.

Na, der Neue war vielleicht seltsam, und erst die Fragen, die er mir stellte! Die waren für mich so schlimm, dass ich Angst bekam und schrie wie am Spieß. Das hatte zur Folge, dass er ganz schnell wieder rausging. Aha, Carmen, gut gemacht!

Als er das nächste Mal ins Zimmer kam, fing ich sofort an zu schreien und hörte erst wieder auf, als er draußen war. Er versuchte es noch ein, zwei Mal, ich blieb bei meiner Taktik, und es ging immer sehr, sehr schnell. *(Dieser Mann, dessen Fragen mir solch große Angst machten, war ein Psychologe; warum ich auf seine Fragen so reagierte, weiß ich bis heute nicht, doch was mein Geschrei bewirkte, das begriff ich sofort!)*

Mein eigener Tropf

Eines Tages kam eine neue Frau ins Zimmer und meinte, ich solle aufstehen. Ich sah sie an: *Was* sollte ich? Irgendwann zog sie mich hoch und drehte mich nach vorn, um mich aus dem Bett zu ziehen, und was passierte? Ich plumpste zu Boden!

Es dauerte ziemlich lange, bis die Gute begriff, dass ich gar nicht wusste, was man mit den Geräten an seinem Körper macht. Also hat sie es mir der Reihe nach erklärt: was Beine sind, was man mit ihnen überhaupt macht, warum man das tut und wie. Nun lernte ich langsam wieder laufen.

Ähnlich habe ich es mit dem Essen erlebt. Was essen ist, wusste ich ja auch nicht mehr. Mein Geschmackssinn samt Hungergefühl waren von meiner Festpatte gelöscht. Das heißt, dank der Rundumversorgung aus dem Tropf hatte das Hungergefühl ja auch keine Chance, sich bemerkbar zu machen!

Jeden Abend kam der Mann, der mir immer aus der Schüssel einen Löffel um den anderen von dem Labberzeug in den Mund schob, und ich musste das runterschlucken. Es waren immer nur wenige dieser Löffel, denn das machte mich sehr, sehr müde, so dass ich während der Prozedur meistens einschlief.

Einmal hatte ich wirklich keine Lust auf das Labberzeug. Der Mann war schon weg, als die Schwester kam; als sie sah, dass wir nichts angerührt hatten, fand sie das gar nicht nett. Wenn ich nicht essen würde, meinte sie dazu, würde sie das dem Chefarzt sagen und der würde mich dann an den Tropf hängen. Aha, nun wusste ich, wer das war, der da jeden Abend kam, um mir das Essen zu geben! So erklärte ich der Schwester: „Ich brauche deinen Tropf nicht, ich habe meinen eigenen, der kommt jeden Abend und steckt mir den Löffel in den Mund.“ Na, was war denn jetzt mit ihr los? So schnell war sie noch nie aus dem Zimmer gerannt! Ich hatte doch nicht mal geschrien? Und warum lachte sie draußen im Gang so?

Festplatte gelöscht

Eines Abends saß ein junger Arzt an meinem Bett und ich erklärte ihm, wo er wohnte: unter der Elbe in dem grünen Ding; ich erklärte ihm das ziemlich detailliert, und jetzt endlich wusste er, wo er wohnte. Ich freute mich riesig!

Das Hirn ist doch wirklich ein faszinierendes Organ und man kann nur staunen, wie groß Gott ist, wenn man Zusammenhänge erkennt und einem bewusst wird, wie das war mit unserem Werden, das er bewerkstelligt hat.

Ich glaube, dass ich damals den Verstand eines zwei- bis dreijährigen Kindes hatte, auf keinen Fall mehr. Heute frage ich mich manchmal, wie es meine Mitmenschen damals mit mir ausgehalten haben! Bei dem Unfall hatte ich ja nicht nur einen Schädelbasisbruch erlitten und außer dem Genick auch noch im Gesicht so einiges gebrochen – mein Gesicht war damals höchst titanhaltig, es gab Platten und dann waren auf der rechten Seite noch 56 ganz kleine Schrauben sowie innerhalb des Röhrenknochens auf der linken Seite eine Stange –; mir wurde auch sozusagen „die Festplatte gelöscht“: Jemand hatte in meinem Gehirn den „Reset“-Knopf gedrückt. Mein Kopf glich einem trockenen Schwamm; ich saugte alles auf, was ich bekam.

Meinen Mann erkannte ich noch immer nicht, auch nicht, als „mein Tropf“ eines Tages kam und meinte, er würde gern mal mit mir Auto fahren. Aber gut, dagegen hatte ich nichts einzuwenden, und so brachte er mich mit einem Rollstuhl bis zu einem Auto und half mir, auf dem Beifahrersitz Platz zu nehmen.

Ein schönes Auto, wirklich. Weiß war es, und sehr fesch sah es aus. Aber warum hatte es denn kein Dach? Da erzählte er mir doch tatsächlich, das wäre *mein* Auto und ich würde doch gerne Cabrio fahren! Also alles, was recht ist, aber ein Auto ohne Dach??

Und wie konnte er auch nur im Entferntesten annehmen, dass ich wüsste, wie man so ein Auto fährt?! Nie in meinem ganzen Leben bin ich Auto gefahren, und nun gleich eins ohne Dach! Ich bekam Angst und wollte wieder in mein Bett. Ich habe in dem Auto so einen Zirkus veranstaltet, dass der Typ, der sich für meinen Mann ausgab, mich ziemlich schnell wieder zurückbrachte.

Ein paar Wochen später durfte ich „nach Hause", aber was war denn das? Mein „Zuhause" war das jedenfalls nicht! Mein Mann erklärte mir, das sei das Haus, das wir gemeinsam anfingen zu bauen und das dann eine Firma zu Ende gebaut hat. Ich verstand kein Wort!

In den nächsten Wochen und Monaten lernte ich so einiges, was nicht von selbst wiederkam. Dass man mit den Beinen laufen konnte, das wusste ich ja schon; aber dass man damit auch weitere Strecken zurücklegen kann, das lernte ich erst jetzt. Es dauerte Wochen, bis ich es auf einen Kilometer brachte! Das war wie ein „Aha"-Erlebnis; es schmeckte nach „mehr"; so ging ich ganz unbewusst jeden Tag ein bisschen weiter.

Ähnliches habe ich beim Tischtennis erlebt: Weil ich mehr wollte, klappte Nicole die eine Hälfte der Platte hoch; so konnte ich mit mir selber spielen. Das ging so lange, bis ich mich immer besiegte! Das war mir dann doch zu dumm. - Ich habe mich oft darüber gewundert, in welchem Tempo ich gegen mich selbst gespielt habe. Dabei war mir gar nicht wirklich klar, was da passierte, und eines schönen Tages habe ich einfach den Tischtennisschläger hingelegt und aufgehört und nie wieder gespielt. Bis heute nicht.

Heute, Jahre später, kann ich immer noch nicht nachvollziehen geschweige denn verstehen, was damals in meinem Kopf vor sich ging. Als ob ich nach irgendetwas gesucht hätte. Das Laufen und Tischtennisspielen hatte meinen Gedankengang unglaublich angekurbelt. Als ich aber nach einer gewissen Zeit nicht gefunden hatte, was ich suchte, habe ich einfach damit aufgehört.

8 Christoph

Die Blätter wurden schon golden, da kam meine Tochter auf die Idee, mich an den Computer zu setzen. Ganz geduldig erklärte sie mir immer wieder, wie man das Gerät ein- und ausschaltet - es dauerte mehrere Tage, bis ich das begriff.

Alles, was mit einem Computer zusammenhing, hatte ich vergessen, wie alles andere auch. Nicole erklärte mir jeden Tag neu, wie was ging und was man tun musste, und dann steckte sie mich in einen Chat - eine Plauderrunde im Internet; statt mit dem Mund „plaudert“ man allerdings mit den Fingern auf der Tastatur, so wie früher per „Zettelpost“.

Damit wollte sie meine Finger wieder beweglich machen - durch das lange Liegen und Sich-Bedienen-Lassen und weil ich nicht mehr wusste, was man damit macht, waren die nämlich ganz steif geworden.

Dass ich früher auch immer gechattet hatte, wusste ich ja nicht; selbst an die Menschen, die in meinem Chatroom waren und mich wiedererkannten, hatte ich keine Erinnerung.

Mehrere meiner Internet-Gesprächspartner freuten sich, dass ich wieder aufgetaucht war. Einer war ein Doktor aus Karlsruhe, ein Mund- und Kieferchirurg. Er interessierte sich sehr für das, was mir passiert war, er rief sogar in Dresden an und machte sich schlau über das, was ich ihm erzählte.

Vier Jahre im Wachkoma

Auch Wolfgang* freute sich, dass er wieder von mir lesen konnte. Wir unterhielten uns, wie mir schien, sehr oft und sehr lange, und er erzählte mir vermutlich so ziemlich alles aus seinem Leben, was ihm eben einfiel, und das war wirklich sehr viel.

Die meiste Zeit saß ich vor dem Bildschirm und las, was er schrieb. Nur dass ich nichts davon behalten habe, außer die Sache mit Christoph*. Ein paar Tage, nachdem er mich in den Weiten des Internets wiedergefunden hatte, kam Wolfgang nämlich unvermittelt auf seinen Sohn zu sprechen; der war mit drei Jahren in den Teich vorm Haus gefallen und lag seit diesem Tag im Wachkoma, das war nun vier Jahre her. Christoph war jetzt sieben.

Plötzlich war ich hellwach und meine Sinne waren, wie mir schien, ungewöhnlich geschärft. Selbst heute, 15 Jahre danach, kann ich mich an jedes Wort erinnern, das sein Vater schrieb! Als er mich schließlich fragte, ob ich sie nicht mal besuchen könnte, schrillten in mir alle Alarmglocken, aber ich wusste nicht, warum. Ich sagte nur, ich würde es mir überlegen, und verließ meinen Platz am Computer, so schnell es ging.

Der Gedanke an Christoph ging mir tagelang nicht aus dem Kopf und ich überlegte immer und immer wieder, was ich tun könnte. Seine Eltern baten mich ja nicht darum, nur mal so vorbeizukommen, sondern sie hofften, dass ich schauen und horchen würde, ob Gott mir etwas mitteilt – und genau das verunsicherte mich ganz gewaltig. Ich spürte, dass Gott, was Christoph betraf, mir keine Ruhe ließ, und so wartete ich ab. Sollte doch der Herr entscheiden, wann der richtige Zeitpunkt war!

Richtig viel Zeit

In der Zwischenzeit besuchte ich eine Reha in Bayern, meine Mutter begleitete mich. Diese Reha war für mich und meinen Körper die reinste Katastrophe. Es war mir fast unmöglich, an den verordneten Heilbehandlungen teilzunehmen: Bei der kleinsten Kleinig-keit kippte ich schon um, dafür reichte schon eine winzig kleine Moorpackung an der Halswirbelsäule. Keine Behandlung lief normal ab und ich konnte keine einzige Anwendung ohne irgendwelche Störungen erleben.

In einer Gruppentherapie, bei der man auf dem Fußboden lag und zuhören sollte, schlief ich schon ein, wenn ich gerade mal meine Beine zum Liegen langgemacht hatte - innerhalb von Sekunden schnarchte ich schlimmer als ein brüllender Löwe, sie mussten mich wecken und hinausschicken. Nach dem zweiten Anlauf wurde mir diese Behandlung gestrichen, die Moorbehandlung bereits nach der ersten Anwendung.

Dadurch hatte ich ganz viel Zeit für mich und so unternahmen meine Mutter und ich schöne Spaziergänge; ich konnte mich wirklich ausruhen, und ich redete viel mit meiner Mutter.

Ich wohnte nicht direkt in der Kurklinik, sondern in einem wunderschönen Ferienhaus, das Kurgäste beherbergte. Die Vermieterin reichte jeden Morgen ein Frühstück und da ich ja Zeit hatte, kam ich mit ihr ins Gespräch und erzählte ihr auch, dass ich im Koma und im Himmel gewesen war.

Eines Morgens fragte sie mich, ob ich auch sie im Himmel gesehen hätte. Diese Frage war schon sehr ungewöhnlich, also ich verstand sie überhaupt nicht. Daraufhin erklärte sie mir, sie hätte schon mehrmals gelebt, nicht immer als Mensch, aber sie käme jedes Mal durch Reinkarnation eben wieder auf die Erde. Das war mir nun wirklich ungeheuerlich und obwohl ich damals von Esoterik keine Ahnung hatte, war mir sofort klar: Das war nicht von Gott! Und genau das sagte ich ihr.

Heute noch staune ich über den Ton, den ich damals draufhatte, und wie bestimmt ich ihr gesagt habe, sie solle die Finger davon lassen. Noch heute habe ich ihr erschrockenes Gesicht vor meinem inneren Auge. Ich ahnte nicht, dass das nur ein Vorgeschmack auf Kommendes war.

Gänsehaut

Kurz vor Ende der Reha fand ich in meiner Jackentasche einen Zettel mit der Telefonnummer, sie hatte eine Mecklenburger Vorwahl. Diesen Zettel hatte mir eine Bekannte aus dem Reiterhof gegeben mit der Bemerkung, sie sei an der Ostsee gewesen und dort habe sie diese Frau kennengelernt, die möchte gerne ihr Haus verkaufen – und da hatte Uta an mich gedacht. Sie meinte, das wäre genau das Richtige für uns, also für Nicole, mich und unsere Pferde.

Meine Mutter rief in Mecklenburg an und wir machten einen Termin aus. Warum? Was wollte ich dort? Manches, was ich in den ersten Wochen und Monaten nach dem Unfall getan habe, ist mir bis heute ein Rätsel, wusste ich doch nicht einmal die primitivsten Dinge.

Als der Termin in Mecklenburg feststand, rief meine Mutter bei Christophs Eltern an und sagte ihnen, wann ich zu ihnen kommen würde. Mir war klar, dass Jesus wollte, dass ich den Jungen besuche, auch wenn ich zu dem Zeitpunkt nicht wusste, warum.

Zwei Wochen später fuhren wir los, mein Bruder, meine Mutter und ich; unterwegs wollten wir Christoph besuchen. Als ich das Haus betrat, beschlich mich ein ganz seltsames Gefühl. Ein Gefühl, das ich nicht kannte, zumal mir ja alle Gefühle irgendwie abhandengekommen waren: Egal welche Gefühlsregung sich zeigte, ich erkannte keine einzige. Auch diese nicht.

Immer, wenn Christophs Mutter mir nahekam, also ein Meter war der gerade noch erträgliche Mindestabstand, bekam ich Gänsehaut. Manchmal hat man ja so einen Schauer, der einem über den Rücken geht, aber man weiß, dass es okay ist. Dieses Kribbeln, diese Gänsehaut aber war nicht okay, das war mir recht schnell klar.

Sie erzählte mir, dass Christophs Augen nicht stillstehen können, dass er nicht sprechen kann. Dass sie das Geld für eine Delfintherapie in Florida gesponsert bekommen haben und dass sie sich sicher sei, dass Christoph wieder gesund würde. Sie sprach so selbstsicher davon, als ob sie selbst der Macher wäre und wie wenn es mit ihrer Meinung stehen oder fallen würde.

Ich überlegte noch, ob es wirklich gesund ist zu denken, dass wir Menschen es sind, die diese Kraft haben, und ob sie gar nicht weiß, dass in jedem Fall Jesus der Macher, Sieger und Heiland ist, auch und gerade für ihren Christoph. Dass ich in Christophs Mutter eine eingefleischte Esoterikerin vor mir hatte, das begriff ich erst viel später - und auch, wie sehr ich den Schutz Gottes in diesem Hause bei mir hatte.

Christophs großer Wunsch

Wir gingen in sein Zimmer und da lag der kleine Mann. Seine Augen konnten wirklich nicht stillstehen und er bewegte auch seinen Mund, aber reden konnte er nicht. Ich nahm seine Hand in die meine und da sah er mich an. Welch ein Blick aus diesen blauen Augen! Ich hielt seine Hand fest und spürte seine kleine Hand in meiner liegen. Er sah mich an, nicht ein einziges Mal schaute er weg, seine Augen waren ganz ruhig auf mich gerichtet.

Aus dem Augenwinkel erkannte ich, wie seine Mutter mich ansah. Sie begriff sehr wohl, dass jetzt irgendetwas geschah, was sie nicht erfassen konnte. Christoph bewegte den Mund, seine Lippen, und ich hörte ihm zu. Nach wenigen Sekunden war mir klar, dass er tatsächlich sprach, aber außer mir konnte das niemand hören - weder seine noch meine Mutter, die auch mitgekommen war in Christophs Zimmer. Ich hörte ihn und dachte: Nein, das kann ich den Eltern nicht sagen! Niemals!!

Christoph erzählte mir, er würde so gerne gehen, weg von hier, doch seine Mutter halte ihn fest, sie klammere ihn so fest an sich, dass er nicht gehen könne, und er wünsche sich so sehr, dass sie ihn losließe. N E I N ! Niemals könnte ich das der Mutter sagen. In mir kroch Angst hoch und ein mehr als ungutes Gefühl. Ich begriff, dass hier Mächte miteinander kämpften, denen ich nicht gewachsen war.

Aber ich wusste auch, wie wichtig die Botschaft des Jungen an seine Eltern war. Fluchtartig verließ ich das Haus und das Grundstück; bis wir am Abend in Mecklenburg-Vorpommern ankamen, habe ich kein Wort mehr gesprochen.

Abschied in Gelb

Meine Gedanken kreisten auch am nächsten Tag nur um Christoph. Als wir spät in der Nacht zurück waren in meiner alten Heimat, setzte ich mich nochmals an den Computer und versuchte Wolfgang klarzumachen, dass wir, selbst wenn wir noch so lieben, manchmal loslassen müssen.

Das war nicht mehr meine Weisheit, die da aus meinem Kopf über die Finger auf der Tastatur Wörter auf den Bildschirm brachte. Ich erzählte ihm, dass Christoph sich wünsche, die Familie würde sich von ihm verabschieden, dass er zu diesem Abschied gerne Luftballons mit Delfinen drauf hätte, und er wünsche sich, seinen gelben Ball mitzunehmen.

Am nächsten Abend erzählte Wolfgang mir dann, sie hätten am Nachmittag tatsächlich eine Art Abschiedsfest gefeiert und alle, auch die Mutter, hätten sich von Christoph verabschiedet. Er bekam die Luftballons, die er sich gewünscht hatte, sein gelber Ball lag neben ihm auf dem Bett und er trug ein gelbes T-Shirt – Wolfgang sagte mir, dass Gelb Christophs Lieblingsfarbe war, was ich nicht wissen konnte.

Am folgenden Morgen wurde ich genau um halb fünf wach, was schon sehr ungewöhnlich war, denn ich schlief ja immer noch 12 bis 15 Stunden am Tag. Ich setzte mich auf; das Bett stand neben unserem Schlafzimmerfenster, so konnte ich im Sitzen die Gardine aufziehen – und was ich da zu sehen bekam, versetzte mich in Gedanken sofort in den Himmel: Seit ich wieder hier war, hatte ich nie so einen Sternenhimmel gesehen!

Es war gerade, als wäre ich selbst ein Teil des Himmels, und als ob die Sterne, die lebendig schienen, um mich herumtanzten - als wäre, wie im Himmel, jede Dimension aufgehoben.

Ich sah Christoph auf mich zurennen. Er trug ein gelbes T-Shirt und hatte seinen gelben Ball in der Hand. Er strahlte mich an, winkte mir zu, sagte „Danke“ und „Bis später!“ und rannte weiter, bis er aus meinem Sichtfeld verschwunden war.

In diesem Moment wusste ich, dass Christoph nach Hause gegangen war, zum Vater im Himmel. Eine Viertelstunde später kam eine SMS von seinen Eltern: „Christoph ist 4.30 Uhr heimgegangen.“

Ich habe Christophs Eltern nie wiedergesehen; heute weiß ich, dass Jesus mich in diesem Haus gebraucht hat. Mir ist heute auch klar, wie schlimm Esoterik ist und dass es Gott ein Gräuel ist, dass sich die Menschen darauf einlassen. Dabei ahnen sie nicht einmal, wie finster die Mächte sind, denen sie sich hingeben, auch wenn die sich noch so rein und hell darstellen. Esoterik ist und bleibt eine Masche des Teufels; leider fallen viele Menschen darauf herein.

9 Umzug an die Ostsee

Meine Wackelstangen

Von Christoph aus fuhren wir weiter zu dem Haus in Mecklenburg-Vorpommern, um es wie besprochen zu besichtigen. Als ich das Ortseingangsschild las, so ein kleines, grünes, „Wiepkenhagen", wusste ich genau, wo wir hinmussten, und konnte meinen Bruder Sven lotsen: „Noch sieben Häuser und dann bei der Bushaltestelle abbiegen."

Die Besitzerin erwartete uns bereits und wir gingen sofort ins Haus. Da ich es sehr gut kannte, ging ich ihr wie selbstverständlich voraus und benannte die Räume, bevor ich die Tür öffnete. Bei der dritten Tür fragte sie mich vorsichtig: „Waren Sie denn schon mal hier?" Ganz erschrocken sah ich sie an. Das konnte ich ihr doch nicht erzählen, sie würde mich auf der Stelle hinauswerfen!

Wir gingen die Treppe hoch - und genau, da war sie, die kleine Toilette, für DDR-Verhältnisse ein absoluter Luxus! Diesen Bonus verdankte sie sicherlich ihrem Sohn, der war ein tüchtiger Klempner. - Das war genau das Haus, das ich im Koma gesehen hatte!

Aber eines fehlte immer noch: Wo waren die Wackelstangen? Jedes Mal, wenn ich sie danach fragte, schaute sie mich noch komischer an. Wackelstangen hinter dem Zaun? Irgendwann wurde es ihr zu bunt, und sie führte mich durch den ganzen Hof bis zum Zaun. Da konnte ich selber sehen, dass da *wirklich* keine waren!

So standen wir am Zaun - und was sah ich am Horizont? Meine Wackelstangen! *Alle neune!* Das war das richtige Haus!

Sven fasste in Worte, was alle dachten: Ach so, die Windräder … (Bei meinem letzten Besuch in Mecklenburg, Juni 2018, habe ich sie vergeblich gesucht; meine armenische Freundin Anahit sagte mir, sie seien abgebaut worden, als das Asylantenheim aufgelöst wurde.)

Zurück in Sachsen redete ich mit Klaus; doch ob er verstand, was ich ihm sagte, das weiß ich bis heute nicht. Er hielt mich ja für nicht mehr zurechnungsfähig, immerhin musste er sich alle paar Tage anhören, dass ich demnächst „nach Hause" zurückgehen würde, Jesus würde mich abholen – und hatten die Ärzte nicht gesagt, ich würde eine geistige Behinderung davontragen?

Mich wundert es immer noch, wie das damals alles geklappt hat, obwohl wir eigentlich so gut wie nichts vorbereitet hatten. Nicole und ich packten nur das ganz Persönliche ein, alles andere ließen wir stehen. Bis heute ist es mir ein Rätsel, wie wir, ohne ein einziges Möbelstück mitzunehmen, zurechtgekommen sind. Eigentlich macht man einen Umzug doch ganz anders, zumindest weiß ich das heute.

Allerdings sehe ich es heute nicht nur als einen Umzug an, sondern auch als ein Weggehen, ein Aussteigen: das Alte hinter sich lassen und neu beginnen. Wir haben einfach unsere paar Habseligkeiten in das Auto gepackt und sind losgefahren. Vielleicht war es aber auch der Wille Gottes, der mich vorwärtsgetrieben hat, so dass ich gar nicht anders konnte, als gehorsam zu sein, auch wenn ich es nicht verstanden habe.

Zweimal abmelden

Am Morgen des Umzugstags wollte ich noch meine Firma ummelden - den Hauptsitz wollte ich in Wiepkenhagen haben. Woher ich in dem Moment wusste, dass es *meine* Firma war, und dass ich sie als Hauptgeschäft abmelden und dann als Niederlassung anmelden musste, auch das ist mir bis heute ein Rätsel, aber es war genau das Richtige! Erst Jahre später begriff ich, was das bedeutete, und dass ich eine erfolgreiche Unternehmerin gewesen war.

Nicht wusste ich, dass man sich bei einem Umzug abmelden muss, damit man sich dann im neuen Ort anmelden kann, aber meine Firma wollte ich ummelden. Ich weiß noch, wie seltsam mich die Damen auf der Gemeindeverwaltung ansahen, als ich mein Anliegen vorbrachte. Sie wussten ja, was vor ein paar Monaten passiert war, und sahen auch, wie ich da vor ihnen stand. Ich vermute mal, wie viele andere im Ort dachten auch sie, ich wäre durch den Unfall wohl doch geistig behindert; die Prognose der Ärzte hatte sich ja schnell herumgesprochen.

Hätte man mich in dem Moment gefragt, was ich gerade tue, hätte ich diese Frage wohl tatsächlich nicht beantworten können. Von der Gemeindeverwaltung ging es weiter zur Stadtverwaltung nach Herrnhut, um mich dort polizeilich abzumelden. (In den neuen Bundesländern war auch zehn Jahre nach der Wiedervereinigung noch manches anders organisiert als in der „Bonner Republik".)

Diese Erlebnisse, eben wie das Abmelden und auch die Firma ummelden, die zeigen mir heute ganz klar, dass nicht ich gehandelt habe, sondern dass Gott mich geleitet hat. Dadurch habe ich gelernt, mit dem Heiligen Geist zu leben, von ihm inspiriert zu werden, vor allem aber, sein „Einmischen“ zuzulassen.

Als das alles erledigt war, fuhren wir auf dem Weg zur Autobahn bei meiner Mutter vorbei, um uns zu verabschieden. Wohl erst in diesem Moment begriff sie, dass ich es ernst gemeint hatte mit der Hausbesichtigung an der Ostsee!

So begann die Reise in eine für mich ganz neue Welt. Nicoles Freund fuhr das Auto. Ich wusste ja nicht, dass ich Auto fahren konnte, und Nicole mit ihren sechzehn Jahren durfte noch nicht.

Meine Gedanken drehten sich um das, was ich verlassen hatte. Sie wanderten aber auch dem Auto voraus in den Norden.

Nach drei Stunden Fahrt, weit hinter Berlin, machten wir Pause, und ich freute mich riesig, dass an dem Rastplatz bei Wittstock tatsächlich ein McDonald's war. Ich weiß bis heute nicht, warum dieser absurde Drang, ständig dorthin zu gehen, in mir so ausgeprägt war.

Dabei war mir das Essen ziemlich egal, viel lieber wollte ich auf die Rutsche oder klettern – Nicole hatte immer mächtig zu tun, mich von so manchem abzuhalten, denn in meinem Gesundheitszustand wäre ich zu der Zeit auf keinen Fall die Leiter hinauf bis zur Rutsche gekommen.

Im Nachhinein kann ich nur staunen, dass sie sich meines Verhaltens nicht geschämt hat, sondern immer ganz liebevoll mit mir umging; sie hat mit mir geredet wie mit einem kleinen Kind, was wahrscheinlich auch das einzig Richtige war. Danke, meine liebe, prächtige Tochter! Ich bin so stolz auf dich!

Unübersehbar

Es war bereits stockfinster, als wir wieder ins Auto stiegen. Als wir vom Rastplatz wieder auf die Autobahn fuhren, in diesem Moment überlegte ich, ob es nun richtig war, was ich da tat, und bat Gott, mir doch bitte ein wirklich deutliches Zeichen zu senden; ich brauchte ein wenig Sicherheit, dass das, was ich gerade tat, auch wirklich das Richtige war.

Es war November und sehr ruhig auf der Autobahn. Wir waren schon minutenlang gefahren, ohne dass uns auf der Gegenfahrbahn ein einziges Auto entgegengekommen wäre, und auch im Rückspiegel sah ich keines. So konnte ich den ungewöhnlich klaren Himmel bewundern mit all den vielen Sternen.

Plötzlich schrien wir alle drei gleichzeitig auf: Da flog tatsächlich eine Sternschnuppe über unserem Auto in Richtung Norden, unübersehbar! Sie war riesengroß. Nicole und Daniel* waren ganz aufgeregt, und genauso aufgeregt redeten sie auch.

Ich saß da und war begeistert von Gott. Was für ein liebevoller Vater!, dachte ich, und wie schnell er meine Bitte um ein deutliches Zeichen zur Bestätigung beantwortet hatte! Das war und ist ja nicht immer so. Mir war in dieser Sekunde vollkommen klar, dass unser Herr Jesus bei diesem Umzug dabei ist, dass er mich sozusagen in allem, was ich tun musste, begleitet und getragen hat.

Schon einmal war der Sternenhimmel für mich so ungewöhnlich klar gewesen war – damals, als Christoph sich von mir verabschiedete. Die Sicherheit, die ich nun in meinem Herzen spürte, hielt über Jahre hinweg an und festigte sich immer mehr.

Gegen 20 Uhr kamen wir an. Der Vermieter erwartete uns, wir hatten ja noch keinen Schlüssel. Das Haus war teilmöbliert, und in den oberen Räumen, die Nicoles Reich werden sollten, lagen ein paar Matratzen.

Am ersten Abend packten wir nur das Nötigste aus und legten uns schlafen; ich war an diesem Tag ja weit unter meinem sonstigen Schlafpensum geblieben. Ich muss augenblicklich eingeschlafen sein und schlief tief und traumlos genau zwölf Stunden lang.

Am nächsten Morgen stieg mir als Erstes der Kaffeeduft in die Nase, Nicole hatte Frühstück gemacht. Daniel hatte schon fast das ganze Auto ausgeladen, und es ist wirklich erstaunlich, was wir alles eingepackt hatten. Wahrscheinlich habe ich instinktiv das mitgenommen, was für mich wichtig war, wie unseren Herrnhuter Stern und auch unseren Schwibbogen aus dem Erzgebirge. Da sowieso bald Advent war, waren das auch die ersten Dinge, die wir anbrachten.

Nach dem Frühstück schauten wir erst mal in aller Ruhe unser neues Zuhause an, dann fuhren wir los, um ein paar Kleinmöbel zu kaufen. Der Schreibtisch dieses Vormittags steht bis heute in Nicoles Wohnung.

Unsere Einrichtung war wirklich sehr spärlich, aber das störte mich nicht. Den Luxus, den ich in unserem Haus in Neundorf gehabt hatte, vermisste ich in keiner Weise.

Heute weiß ich, dass mein Gehirn diese Dinge einfach ausgeblendet hat, und mit mir ging es Schritt für Schritt bergauf. Ich war auf meine ganz eigene Art vollkommen glücklich, weil ich wusste: Gott war mit mir hier im Norden. Er hatte mir sein Ja zu diesem Schritt, zu diesem Auftrag deutlich gezeigt.

Das Herrnhuter Stern-Zeichen

Nun war es wirklich Advent, und wir saßen am Abend oft bei Kerzenlicht zusammen. Nicole spielte Gitarre, und wir sangen Advents- und Weihnachtslieder.

Ich staunte, wie gut Nicole mit dem Instrument umgehen konnte. Ich konnte mich ja nicht mehr daran erinnern, dass ich je gesehen hätte, wie sie Gitarre spielen gelernt hat. Zwar behauptete meine Tochter, ich hätte es ihr beigebracht, doch das konnte nun wirklich nicht sein. Ich hatte in meinem ganzen Leben noch nie Gitarre gespielt, das hätte ich doch gewusst!

Eines Abends klopfte es an der Haustür. Ich öffnete, und vor mir stand ein junger dunkelhaariger Mann, reichte mir die Hand und sagte: „Guten Abend! Mein Name ist Steffen Klug und ich bin der Pastor der hiesigen evangelisch-methodistischen Gemeinde. Ich habe bei Ihnen einen Adventsstern und einen Schwibbogen gesehen, deshalb dachte ich: Hier müssen Sachsen wohnen."

Ja, da hatte er recht, ich sagte ihm, ich käme aus Herrnhut - Neundorf kannte er ja bestimmt nicht. „Aus Herrnhut? Ach wie schön!" Die Freude stand ihm breit ins Gesicht geschrieben, und er erzählte, er habe seine Frau bei einer Freizeit von Pfarrer Morgenstern kennengelernt. Da blieb mir fast der Mund offen: Bei Pfarrer Morgenstern hatte ich mich mit 19 Jahren bekehrt!

In diesem Moment fing ich an zu begreifen, was Gottes Plan in meinem Leben war; zumindest sah ich jetzt ein, zwei Puzzleteile davon, die zusammenpassten! So wurde die erste Begegnung mit Steffen zu einem wichtigen Meilenstein.

Steffen lud uns zum Sonntagsgottesdienst ein und ich sagte zu. Als er wieder gegangen war, erschrak ich über meinen eigenen Mut. Methodisten? Und wenn das nun eine Sekte war? Nicole, die sonst fast alles wusste, konnte mir dieses Mal nicht weiterhelfen, also riefen wir am nächsten Tag meine Freundin Kerstin in Herrnhut an. Wenn jemand sich mit Sekten auskannte, dann sie!

Kerstin wusste, dass John Wesley, der Gründer der Methodisten, bei Graf Zinzendorf zu Gast gewesen war, und dieser eine Satz reichte mir: Sofort war mir klar, dass es sich bei den Methodisten nicht um eine Sekte handelte. Am folgenden Sonntag gingen wir zum Gottesdienst in die EMK (Evangelisch-methodistische Kirche), und seitdem Sonntag für Sonntag, bis heute.

Die Predigt hielt Pastor Volker Straube, und ich verstand, ehrlich gesagt, nicht viel. Nur das: Lügen ist nicht gut, und jemanden hintergehen auch nicht; und es gab noch mehr dergleichen seltsamer Dinge, die ich noch nie gehört hatte! Erna, die in der Kirche wohnte, kam nachher zu mir und entschuldigte sich, der Pastor habe so viele schlimme Sachen gesagt und hoffentlich hätte er uns nicht vergrault.

Inzwischen muss ich darüber lächeln. Ich habe Volkers Predigt, zumindest diese markanten Stellen, nie vergessen, und später habe ich sehr gut verstanden, was er damit sagen wollte.

Alles hat seine Zeit

Nach dem Koma waren nicht nur alle Erinnerungen weg; ich wusste auch nicht mehr, was Neid, Hass, Eifersucht oder Gier ist. Ich wusste nicht, wie das ist, wenn man verletzt wird mit Worten oder Taten, konnte nicht nachvollziehen, wenn jemand traurig war.

Wie schön es ist, in der Freude und der Liebe Gottes zu leben, von ihr umgeben und eingehüllt zu sein – das hingegen kannte ich sehr wohl! Ich brauchte ziemlich lange, um zu verstehen, dass Freude nicht immer angebracht ist, zum Beispiel: dass ich mich nicht freuen darf, wenn jemand stirbt. Mehr als einmal musste Nicole mich zur Seite nehmen und mir erklären, dass man *traurig* ist, wenn jemand stirbt, vor allem aber, *warum* man traurig sei.

Anfangs konnte ich das kein bisschen verstehen: Wie könnte ich traurig sein, wenn jemand, den ich liebe, zu Jesus geht, wenn er endlich *zu Hause* sein darf?! Wäre es nach mir gegangen, hätte ich wohl vor Freude getanzt. Erst ein paar Jahre später habe ich verstanden, wozu es Traurigkeit gibt und wie wichtig die Trauerphase für uns Menschen ist.

10 Abenteuer Wiepkenhagen

Kennt irgendjemand Wiepkenhagen? Also ich kannte diesen Ort nicht. Heute ist mir klar, dass es genau der richtige Platz war, so unbekannt und klein, denn er brachte mir die Heilung, die ich den ersten Jahren brauchte.

Wiepkenhagen war und blieb mein Zuhause von dem Tag an, als ich es das erste Mal sah, bis heute, obwohl ich schon seit ein paar Jahren nicht mehr dort bin.

Die Luftveränderung tat mir gut, und damit meine ich nicht den Effekt des „Tapetenwechsels“; das Klima im Norden war wie für mich gemacht und der höhere Luftdruck tat den gebrochenen Knochen in meinem Kopf wirklich gut. Dennoch dauerte es Wochen, ja Monate, bis es mir spürbar besser ging. Auch in der ersten Zeit in Wiepkenhagen habe ich meistens geschlafen - doch ich wusste von Anfang an, dass Jesus hier war, mir ganz nah.

Ich habe das nicht nur *gespürt,* nein, ich war mir ganz sicher! Mit diesem Wissen in mir lebte ich jeden Tag, ja ständig mit dem Gedanken, bald „nach Hause“ gehen zu können. Anfangs war dieser Gedanke in mir sehr stark und die Sehnsucht nach dem Himmel, meinem mir vertrauten Zuhause, war so groß, dass es fast unerträglich wurde. Ohne dass ich mir dessen bewusst war, schlichen sich bei mir sogar Selbstmord-gedanken ein.

Doch spürte ich, dass jedes Mal, wenn diese Selbstmordgedanken in mir rumorten, Jesus dazukam, mitten hinein in mein Herz. Schritt für Schritt reparierte er mein Herz und machte es stark, und diese Gedanken wurden so immer seltener und schwächer.

Dies war bei Weitem nicht der einzige Heilungsprozess, den ich erleben durfte; ich wurde immer heiler. Die Wunden, die in mir waren, konnte ich zu diesem Zeitpunkt nicht namentlich benennen; ich spürte nur eine innere Zerrissenheit - einerseits musste ich hier sein und durfte nicht zurück, andererseits spürte ich, dass in meinem Herzen noch ganz viel kaputt war, zu dem ich aber keine bewussten Erinnerungen mehr hatte. Immer wieder fragte ich Jesus nur: Warum?

Heute ist diese Frage zur Ruhe gekommen. Ich kann anderen Menschen dienen mit dem, was ich selbst erfahren durfte, und ich danke Jesus dafür, dass er mir innere Heilung geschenkt hat und zwar so, dass ich anderen wirklich helfen kann, innerlich heil zu werden. Das ist mein Wunsch: dass ich das, was ich selbst an Heilung erlebt habe, an meinen Nächsten weitergebe.

Allerdings bin ich sehr oft enttäuscht gewesen, wenn ein Hilfesuchender Gott nicht gehorcht und sich dann wundert, dass es ihm nicht bessergehen will. Mir tut das im Herzen weh, wenn ich mit ansehen muss, dass Frauen, die ihre erdrückenden Lasten ausgepackt haben, am Ende alles wieder einpacken, um „ihr Päckchen" weiterzuschleppen.

Der Umzug der Tiere

Nach ein paar Wochen brachten unsere ehemalige Reitlehrerin Silke* und meine Freundin Andrea* die Pferde - das heißt nur Randy, Nicoles Pferd, und Randys Sohn Gregor. Samantha hatten wir verkauft und ihr Fohlen Sunshine ebenso.

Andrea beglückte uns auch mit Schneeweißchen, einem weißen Hund; diese Idee war wirklich goldrichtig, so abgeschieden, wie wir wohnten. Außerdem kamen zwei Schafe mit zu uns: Mähmäh, sie hatte einen schwarzen Kopf, und Blondie, ganz in Weiß.

Wiepkenhagen war eine emotional sehr intensive Zeit; ein paar ganz besondere Situationen mögen das verdeutlichen.

Im Asylantenheim

Eines Tages erzählte mir Heiko, ein junger Mann aus unserer Gemeinde, von der armenischen Familie, die er schon ein paar Jahre kannte. Das war ja interessant! - Ob ich mich um sie kümmern könnte? Ich war neugierig, kurzerhand willigte ich ein, und wir fuhren los, damit ich die Leute kennenlernen konnte.

Als Heiko zwei Dörfer weiter in einen verlassenen Feldweg einbog, sah ich die neun Windräder wieder. Wir fuhren direkt darauf zu! Noch heute weiß ich, wie aufgeregt mein Herz schlug: Mir war klar, dass jetzt etwas ganz Wichtiges passieren würde.

Ein paar hundert Meter weiter tauchte eine ehemalige „Russenkaserne" auf; sie war noch genau wie zu DDR-Zeiten mit einem Zaun abgesichert, der oben mit Stacheldraht bewehrt war. Am Eingang mussten wir unseren Ausweis abgeben.

Heiko führte mich in eine der Baracken. Vor der Tür spielten Kinder, eigentlich sah alles ganz friedlich aus. Durch die Baracke führte ein langer, dunkler Gang. Nur hin und wieder hatte eine Tür Milchglasfenster; das seien die Waschräume, erfuhr ich.

Die ehemaligen Soldatenstuben zu 26 Quadratmetern dienten jetzt einer ganzen Familie als Wohnung.

Heiko klopfte an einer Tür, eine junge Frau öffnete und bat uns herein. Nun war ich erst mal sprachlos: Diese junge Frau kannte ich aus dem Koma!

Wir unterhielten uns und tranken armenisch gekochten Kaffee - und von da an kümmerte ich mich um diese Familie.

Weihnachten mit Anahit

Weihnachten! An das erste Weihnachten im Norden erinnere ich mich so gut wie gar nicht, an all die anderen dafür umso besser. Es waren schöne Stunden, die ich mit Nicole verbrachte, um Advents- und Türkränze zu basteln. Es störte mich auch nicht, wenn ich allein damit beschäftigt war.

Seit Wiepkenhagen kann ich sehr gut allein sein. Ich kann mich auch nicht erinnern, dass ich mich ein einziges Mal einsam gefühlt oder gar darunter gelitten hätte.

Im zweiten Jahr kannte ich dann schon Anahit und ihre Familie und es war für mich immer eine ganz persönliche und warmherzige Zeit, wenn sie über Weihnachten bei mir wohnten. Das ganze Jahr über lebten sie zu fünft auf 26 Quadratmetern; so genossen sie es natürlich sehr, dass sie bei mir viel Platz hatten.

Der Heilige Abend begann für mich immer damit, dass ich den Stall auskehrte und eine der tönernen Futterkrippen mit sauberem Stroh füllte. Dann wurde eine Laterne gesucht, mit einer Kerze bestückt und an ein Krippenende gestellt. Streichhölzer lagen auch in der Nähe.

Ich habe mich immer riesig darauf gefreut, besonders gerne machte ich es für Anahits Kinder Narek und Anuschik, die ja beide noch relativ klein waren. Wahe, der Älteste von den Dreien, stand hinter den beiden und schmunzelte.

Wenn ich im Stall fertig war, ging es 'rein in die Küche, Abendessen kochen. Das Schwierigste im Norden war für mich, gute und schmackhafte Bratwürste zu bekommen; für Mecklenburger Verhältnisse war ich in punkto Gaumenfreuden doch ganz schön verwöhnt. Bei uns in der Oberlausitz gab es an Heiligabend immer Bratwurst, Kartoffelbrei und Sauerkraut – das hatte Nicole mir nun wirklich lange genug eingetrichtert, so dass ich gar nicht auf die Idee kam, irgendetwas anderes zu kochen.

Wenn es um vier Uhr dunkel wurde, war alles fertig und die Vorfreude groß. Die Christvesper begann um fünf und sogar meine armenischen Freunde schafften es, pünktlich zu sein, was keinesfalls selbstverständlich war.

Nach der Christvesper gingen wir alle zu mir, zu Fuß natürlich, es war ja nicht weit. Im Stall zündeten wir alle Laternen an, die wir hingestellt hatten, natürlich auch die in der Krippe.

Nun las Nicole nochmals die Weihnachtsgeschichte vor und dieses Mal war sie so anders, als wir es eben im Gemeindesaal gehört hatten: Da schauten zwei Pferde über die Brüstung und schnaubten aufgeregt, weil sie das ja auch noch nie erlebt hatten. Auf der anderen Seite standen Mähmäh und Blondie, und der Hund war auch da. Selbst die Katzen kamen herein, um zu sehen, was da los war.

Nach der Weihnachtsgeschichte aus dem Lukasevangelium sangen wir Weihnachtslieder. – Das alles ist schon weit über zehn Jahre her und dennoch sehe ich es immer noch vor mir, Jahr für Jahr. Und nicht nur, dass ich es *sehen* kann - ich kann es auch *riechen*: Ich rieche die Pferde, den Stall, das Stroh, einfach alles. Das waren die schönsten Weihnachtsfeste, die ich je erleben durfte, und irgendwie war es wirklich Weihnacht.

Als wir dann ins Haus zurückgingen, war es ganz still; ich bin mir sicher, dass jeder, der dabei war, ein Stück Weihnacht in seinem Herzen mitgenommen hat.

Wie könnte es sonst sein, dass alle, die dabei waren, heute noch an diese schöne gemeinsame Zeit zurückdenken. Gut, dass ich diese Erinnerungen in meinem Herzen eingeschlossen habe, denn es gab wie für jeden Menschen ja nicht immer nur Sonnenschein und Frieden um mich herum.

Am ersten Weihnachtstag gab es dann armenisches Essen und im Laufe der Jahre habe ich dadurch viele verschiedene Gerichte kennengelernt, eines besser als das andere. An Anahits Brötchen denke ich heute noch gerne. Leider habe ich es nie geschafft, so köstliche Brötchen zu backen wie sie.

Ich habe mir nie Gedanken darüber gemacht, dass sie Ausländer waren, dass man es auch äußerlich sehen konnte, dass sie nur gebrochen Deutsch spra-chen, zumindest die Eltern. Mir war wichtig, dass ich ihnen ein bisschen Wärme und Geborgenheit geben konnte, denn ich wusste, dass Jesus sie mir ans Herz gelegt hatte. Ich schloss die Familie so sehr ins Herz, dass ich alles getan hätte, um sie zu schützen.

Natürlich spürte ich mit der Zeit auch, dass ich schief angesehen wurde, dass die Leute hinter meinem Rücken über mich redeten, ja, ich wurde sogar angegriffen - man wollte mir klarmachen, dass sie *Ausländer* sind.

Aber ich wusste, dass Jesus diese Menschen liebt, ich konnte diese Liebe in mir spüren, und das hat mir gereicht. Es hat mir oft wehgetan, wenn ich mit ansehen musste, wie beengt diese fünfköpfige Familie lebte, wie zusammengepfercht - und ich? Ich hatte so viel Platz, durfte sie aber nicht zu mir nehmen, doch zu Besuch einladen durfte ich sie, so oft es ging, und das tat ich auch.

Geld

Geld war am Anfang etwas, was komplett aus meinem Kopf gelöscht war. Zunächst kamen Zahlen oder irgendwelche Nummern wieder, die es tatsächlich in meinem Leben gab, aber ich wusste nichts damit anzufangen - ähnlich war es mit den Buchstaben und dem Lesen. So konnte ich anfangs ganz schlecht lesen, mit der Zeit ging das immer besser; aber was ich da las, das war mir fremd. Ich begriff sozusagen nichts.

Eines Tages war unser Brot alle. Nicole brachte es immer mit, wenn sie aus der Schule nach Hause kam, und überhaupt alles, was auch immer wir benötigten. Doch eines Tages war es eben alle und Nicole war schon zurück. Als ich das sah, fing ich an zu weinen, weil ich dachte, nun müssten wir alle verhungern. Nicole sah das aber nicht so eng: „Ach was, Mutti, dann fahren wir eben einkaufen!"

Ich sah sie ganz verwirrt an, denn was das war, Einkaufen, das konnte ich mir gar nicht denken. Nicole nahm die Geldbörse und fing an, mir zu erklären, da sei Geld drin und damit könne man dies und das kaufen oder Bus fahren und dass es eben so ist im Leben, dass man mit diesem Geld die Waren, die man kauft, bezahlen kann. Ich hörte gespannt zu – nur verstanden habe ich nichts.

Also packte sie mich ins Auto, vor drei Wochen hatte sie den Führerschein gemacht, und wir fuhren einkaufen. Es war ein relativ kleiner Supermarkt in Damgarten und ich habe es genau drei Minuten darin ausgehalten. Das war mir einfach zu viel! Die vielen Eindrücke von den vielen bunten Sachen, die es da gab! Aber es war der richtige Augenblick, mit dem Einkaufen zu beginnen; mit der Zeit ging es besser und besser und ich konnte auch in größere Geschäfte gehen, ohne gleich davonzulaufen.

Nur noch einmal habe ich so eine Situation erlebt, das war nach meinem Schlaganfall in einem Drogeriemarkt um die Weihnachtszeit - ich ging ein paar Schritte hinein und ruckzuck war ich wieder draußen!

Wie das allerdings mit dem Geld wirklich ist im Leben, das musste ich im Laufe der nächsten Jahre ganz neu lernen, und es fällt mir immer noch schwer, mir große Beträge vorzustellen.

Gott hat doch echt Humor: Noch im April 2000 hatte ich Millionen D-Mark bewegt und nun wusste ich nicht einmal, was ein Geldschein oder eine Münze zu bedeuten hatte! Doch Gott hat das genau richtig gemacht, denn so habe ich gelernt, dass es nicht auf die Menge ankommt. Zu viel Geld verdirbt bekanntlich den Charakter; zumindest war das bei mir der Fall gewesen. Und nun wusste ich nicht mal im Entferntesten, was Geld ist und was man damit macht.

Lass mich fahren!

Eines Tages fuhren mein Bruder Sven, Nicole und ich nach Rügen. Wir wollten nach Vitt. Dieses Fischerdorf liebte ich unglaublich. Dort konnte ich stundenlang am Meer sitzen und hinausschauen, und es war mir keine Sekunde langweilig! Am Strand konnte ich in Richtung Arkona ewig weit spazieren gehen und in den berühmten Kreidefelsen am Kap Fossilien suchen, das machte mir riesig Spaß.

Rügen, besonders der nördliche Teil der Insel, ist für seine Alleen bekannt und auch für sein Kopfsteinpflaster. Mein Bruder fuhr, ich saß daneben und Nicole saß hinten.

Das holprige Pflaster und dazu die Bäume rechts und links der engen Straße ... also alles, was recht ist, aber so langsam, wie Sven da fuhr - ach, fahren war das falsche Wort! -, das alles war mir nicht mehr geheuer. In mir kroch das Gefühl hoch, dass er jetzt gleich aussteigen würde, um das Auto zu tragen, damit ihm ja nichts passiert. Wo kämen wir denn da hin! Nach Vitt *garantiert nicht!* „Halt an und lass *mich* fahren! Das ist ja nicht mehr auszuhalten!"

Sven und Nicole sahen mich ganz entgeistert an und fragten, was ich vorhätte. Ich platzte heraus: „Dieses Rumgezuckel, das geht mir total auf den Nerv! Jetzt fahre ich!"

Nun war die Überraschung noch größer, und zwar auf allen Seiten; denn dass ich Auto fahren konnte, auch das war mir völlig entschwunden gewesen, und bis dahin hatte ich keinem geglaubt, dass ich das konnte! Aber ich nutzte die Gunst der Stunde, setzte mich auf den Fahrersitz und fuhr los, als hätte es die drei Jahre seit dem Unfall nie gegeben. Was auch immer das ausgelöst hat - die Erinnerung daran, dass ich Auto fahren kann, war von einer Sekunde auf die andere wieder da.

So oder ähnlich kamen viele Erinnerungen zurück; doch es dauerte noch lange, bis ich auch die Zusammenhänge drumherum verstand.

Ich werde aufgeklärt

Eines der größten Abenteuer, das ich in den knapp fünf Jahren Wiepkenhagen erlebte, war das Wunder an mir selbst. Selbst mitzuerleben, wie man vom Kind zum Pubertierenden und dann Schritt für Schritt erwachsen wird, das war wirklich abenteuerlich.

Anfangs konnte ich so gut wie nichts, weder kochen noch bügeln, geschweige denn einkaufen oder einen Knopf annähen; das meiste hat Nicole neben der Schule gemacht. So hatte mein Körper ungefähr zwei Jahre Zeit, um zu gesunden und wieder erwachsen zu werden. Ja, ich habe tatsächlich eine Entwick-lung erlebt vom Kleinkind bis zum Erwachsensein - teilweise auch körperlich.

Wenn ich Hunger hatte, begann ich zu weinen. Ich wusste ja nicht, was man sagen muss, um sich verständlich zu machen. Das Essen habe ich mir von den Leuten abgeschaut, die auch am Tisch saßen: Wenn es bei denen ging, musste es bei mir auch gehen.

Es fiel mir unglaublich schwer, mit ganz alltäglichen Dingen klarzukommen, die für mich früher wie für alle anderen Menschen ganz normal gewesen waren, aber jetzt waren sie mir ganz neu und fremd: morgens aufstehen, die Morgentoilette machen, sich anziehen - alles war irgendwie fremd und weit weg.

Wie oft hat meine Tochter nachgefragt, ob ich auch alles angezogen hatte, und wie oft musste ich mich dann richtig anziehen, weil ich wieder mal so einiges weggelassen hatte. Und wie oft gab es dann Diskussionen, weil ich nicht einsehen wollte, dass man so etwas eben anzieht, auch wenn es kein Mensch sieht, zum Beispiel die Unterwäsche.

Wer so etwas nicht erlebt hat, kann sich das kaum vorstellen oder dafür Verständnis aufbringen. Ich war über vierzig und benahm mich wie ein kleines Kind! Wie gut, dass meine Tochter Verständnis hatte und erwachsen war, besser gesagt: erwachsen sein musste.

Nach ein paar Monaten setzte meine Regel wieder ein. Was war ich erschrocken! Ich schrie, was das Zeug hielt, bis Nicole angerannt kam und aufgeregt fragte, was denn passiert sei. Fassungslos erklärte ich ihr, was ich entdeckt hatte, aber Nicole schmunzelte nur und klärte mich auf. Was, das kam jetzt jeden Monat? Nein danke, das brauchte ich nicht!

Etwas später sah ich beim Einkaufen eine Frau mit einem unglaublich großen Bauch. Ich war entsetzt! Völlig außer mir fragte ich Nicole, was denn da drin sein mochte und warum das so riesig war und ob das nicht weh tut. Nicole sah mich an: „Mama, da ist ein Baby drin." Das konnte ich gleich gar nicht verstehen. „Wie ist es da 'reingekommen?"

Zu Hause ließ meine Tochter „Aufklärung Teil zwei" folgen. Damals war sie 18 und ich war 43. Geduldig erklärte sie mir, wie ein Kind entsteht und wie es dann im Bauch wächst. Dazu fiel mir nichts mehr ein, ich wollte nur wissen: „Macht das Spaß?" Nicole lächelte nur und sagte: „Ich glaube schon."

Zwei Wochen brauchte ich, um so halbwegs zu verstehen, was Nicole mir da erzählt hatte, und in mir fing die Frage an zu bohren: „Und wie kommt das Baby denn da überhaupt raus?" Egal wie ich mir das Szenario auch vorstellte, eine Antwort fand ich nicht.

Wieder erklärte Nicole ganz geduldig, wie so ein Baby geboren wird. Nein, das entzog sich doch komplett meiner Vorstellungskraft - und das sagte ich ihr auch. Niemals würde da ein Baby durchpassen, unvorstellbar! „Mama, du hast mich auch so geboren, ganz genau so!" - „Nein, Nicole, da täuschst du dich aber, das wüsste ich doch!"

Was ich mit dieser Aussage in meiner Tochter angerichtet habe, das ahnte ich nicht. Gut fünf Jahre später habe ich mich bei ihr für diesen Satz entschuldigt; so lange dauerte es, bis ich begriff, wie sie das getroffen haben muss. - Wieder so ein Erlebnis, das mir geholfen hat, jetzt anderen zu helfen.

Haariges

Es passierten auch Dinge, die ich zwar ebenso wenig erklären konnte, die mir aber sehr zusagten. Zum Beispiel, als mein Haar wieder wuchs (als ich im Krankenhaus zusammengeflickt wurde, hatten sie mir den gesamten Kopf rasiert) und ich sah, dass ich Locken bekam!

Ja, mein Kopfhaar veränderte sich, und aus meinem strähnigen Haar wurde schönes welliges, ja lockiges Haar! Dass ich früher nicht eine einzige Locke hatte und immer nachhelfen musste, das wusste ich nur aus den Erzählungen meiner Tochter, aber jetzt wuchsen die Locken von ganz allein! Nicole meinte, das wäre normal, wenn man in die Pubertät käme.

Je länger mein Haar wurde, desto mehr fiel der

handtellergroße weiße Fleck auf meinem Kopf auf, genau an der Stelle, an der Jesus mich damals berührte, als er mich auf die Erde zurückschickte. Das war ein so persönliches, privates Erlebnis, dass ich lange nicht darüber reden wollte; alle sahen nur diesen weißen Fleck in meinem Haar. Irgendwann ließ ich mich überreden und fing an, meine Haare zu färben, aber weil genau diese handtellergroße Stelle die Farbe nicht gut annahm, habe ich es irgendwann einfach gelassen.

Heute trage ich diesen „weißen Fleck" auf meinem Kopf mit einem gewissen „Stolz", denn er kommt ja nicht von irgendwo her und es hat ihn auch nicht *irgendjemand* gemacht, sondern er ist meine ganz eigene Erinnerung an Jesu große Liebe.

Chaotisch

Können Sie sich noch daran erinnern, wie Sie als Kind Ihren eigenen Körper entdeckt haben? Welches Gefühl, welche Neugier, welche Fragen da in Ihnen waren?

Wahrscheinlich habe ich das als Kind genauso erlebt wie andere Kinder auch, nur weiß ich nichts mehr davon. Dafür weiß ich sehr gut, wie das ist, wenn man erwachsen ist und dann seinen Körper entdeckt wie ein Kind – zum Beispiel die Rundungen am Körper, die meine Hände ertasteten; aber woher kamen sie nur?

Wie gut, dass ich eine Tochter hatte, die mir erklärte, was mit dem Körper eines Kindes passiert, wie bestimmte Körperteile wie Brust, Hüften, Po sich entwickeln. Dass an bestimmten Stellen des Körpers Haare wachsen, wie unter den Armen, an der Scham und manchmal auch da, wo man sie gar nicht haben will: an den Beinen.

Mir war die ersten Jahre gar nicht bewusst, dass ich mein Leben gerade ein zweites Mal durchlebte; es waren wirklich heftige Zeiten. Ich verstand mich selbst nicht, warum ich so ungeduldig war und innerlich so zerrissen, so durcheinander, so chaotisch und dabei streng und unnachgiebig mir selbst gegenüber.

Deshalb weiß ich heute recht gut, was in einem Teenager, einem Pubertierenden vor sich geht. Vielleicht ist es sogar gut gewesen, dass ich das als über 40-Jährige erlebt habe, denn gerade mit so jungen Menschen komme ich heute glänzend zurecht.

Natürlich haben sie so ihre Besonderheiten, aber das erinnert mich jedes Mal an die nicht allzu fernen Zeiten, die ich selbst so bewusst erlebt habe. Ich kann die innere Zerrissenheit verstehen, die einen Teenie oft die Beherrschung verlieren lässt. Mir ist das auch passiert, und anschließend hat es mir immer leidgetan.

Sehe ich heute Jungen und Mädchen in diesem Alter, kommt es mir vor, als würden die Jungs Rasier-klingen unter den Armen tragen, und der Gang ist oft wippend wie bei Tarzan, sie „können vor Kraft kaum laufen“. Dann sehe ich die Pickel und die täglich frisch gewaschenen Haare – und ich muss lachen und sehe mich selber vor mir: Auch ich hatte das, und wie hat es mich doch genervt, dass ich jeden Tag Haare waschen musste! Unter die Leute ging ich zu der Zeit sowieso lieber nicht, und die Pickel machten alles noch schlimmer.

Das Chaos, das da in meinem Körper und in meiner Seele herrschte, das verstand ich nicht. Mir selbst fiel mein Verhalten nicht so auf, meinen lieben Mitmenschen umso mehr … Was habe ich in den Jahren danach darüber schon gelacht, welche Verwirrung ich manchmal ausgelöst habe, weil ich mich nicht gesellschaftskonform verhielt!

11 Mit sechzehn Mutter meiner Mutter – Nicole berichtet

Nicht selten werde ich gefragt: „Hat sich Ihre Mutter denn sehr verändert?“ Die ehrliche Antwort auf diese Frage lautet: Ja und Nein. Ja, denn Gott spielt in ihrem Leben mehr denn je eine Rolle; das war ein Thema, das - zumindest seit meiner Geburt - kaum von Bedeutung gewesen war. Der alljährliche Weihnachts-gottesdienst und mitunter auch ein Kirchenbesuch zu Ostern waren zwar obligatorisch, aber grundsätzlich war der Glaube in unserer Familie eher ein Rand-thema. Heute jedoch erlebe ich meine Mutter als eine Frau, die offen über ihre Beziehung zu Gott spricht und nicht schweigen kann von der einschneidenden Erfahrung, die ihr Leben verändert hat, und von den kleinen Wundern des Alltags, die sie erlebt.

Anderes aber hat sie sich über alle Brüche des Lebens hinweg bewahrt: Ihre Aufgeschlossenheit, Ener-gie und Lebensfreude sind damals wie heute die gleichen. Es scheint mir, dass durch alle Täler und Tiefen hindurch ihr Leben ein Zentrum gefunden hat, aus dem sie Kraft und Mut schöpfen kann, wo andere kaum noch zu hoffen wagen.

Die Frage nach meiner Person aber begegnet mir mindestens genauso oft: „Wie sind Sie mit dem Unfall und seinen Auswirkungen umgegangen?“ Diese Frage ist nicht ganz so leicht zu beantworten.

Plötzlich erwachsen

Ja, auch für mich war jener Ostermontag des Jahres 2000 ein großer Einschnitt, und ich habe mich nachher oft gefragt, wie sich im Bruchteil einer Sekunde das Leben so gewaltig verändern kann. Ich war damals 15 Jahre alt und musste mit einem Schlag erwachsen sein; nicht nur, dass ich an diesem Tag Hilfe holen musste, sondern vielmehr, weil ich im Krankenhaus meiner zunächst leblosen und danach völlig veränderten Mutter gegenüberstand. Ich habe am Krankenbett ihre Hand gehalten, ihr versucht, eine Welt zu erklären, die ihr so fremd geworden war.

Ich habe mich bemüht, die richtigen Entscheidungen für uns zu treffen. Neben aller Überforderung hat dieses Erlebnis aber auch mir die Frage nach Tod und Leben, seiner Richtung und letztlich nach Gott auf völlig neue Weise gestellt. Nicht, dass ich vorher nicht auch in einer gewissen Nähe zum Glauben gestanden hätte, aber nun traten neue Fragen auf und das mit ungeahnter Heftigkeit: In den Tagen, in denen meine Mutter um Leben und Tod rang, gab es für mich keine andere Hoffnung als die auf einen gütigen Gott, der das Schicksal zu wenden vermag.

Auf der Suche nach Hilfe habe ich immer wieder das Vaterunser gebetet; das hat mich in diesem Moment getragen. Während meine Mutter im Kranken-haus lag, habe ich oft darum gebeten, dass sie überleben solle. Und Gott hat diese Bitte erhört! Nicht nur das, denn meine Mutter hat nicht nur überlebt, sondern sie hat sich nach und nach von diesem schweren Schlag erholt – durch viele kleinere und größere Rückschläge hindurch.

Für mich brachte dieses Ereignis aber auch eine völlig neue Beziehung zu meiner Mutter mit sich. Wir haben praktisch die Rollen getauscht, denn in vielen brennenden Fragen war ich Ansprechpartnerin und Hilfe. Besonders die ersten Monate nach dem Unfall waren schwierig, da kaum jemand in unserem Umfeld Verständnis hatte. Meine Mutter hatte ja fast alles vergessen, und da mein Vater viel Zeit in der Firma verbrachte, war ich es, die ihr vieles erklärte und sie - im wahrsten Sinne des Wortes - aufklärte.

Flucht nach vorn

In dieser Zeit wurde in erster Linie der Umgang mit meinem Vater zum Problem: Er hoffte sehr auf einen Neuanfang in der Beziehung zu meiner Mutter, aber damit überforderte er sie. Im Rückblick denke ich, dass meine Mutter mit ihren eigenen Gefühlen noch gar nicht umgehen konnte; deshalb war es für sie kaum möglich, zurückzukehren in eine Beziehung, die bereits vor diesem Einschnitt zerrüttet war.

Als meine Mutter erstmals zaghafte Suizidgedanken äußerte und ein Besuch an der Ostsee sie in das Haus führte, das sie im Koma gesehen hatte, war es an der Zeit zu handeln. Ohne viel nachzudenken fassten wir den Entschluss, unsere Heimat zu verlassen und etwa 500 km davon entfernt einen neuen Anfang zu wagen.

Für mich hieß das ein Schulwechsel, ein neues Umfeld, es hieß, ein neues Zuhause zu finden. Und dafür war die christliche Gemeinde am Ort der große Glücksfall: Hier wurde eine Gottesbeziehung gepflegt, die auch Raum ließ für durchaus nicht alltäg-liche Erfahrungen mit dem Glauben. Ich kann nur betonen, wie wichtig das damals für meine Mutter und auch für mich war, denn in diesem Lichte konnten wir unsere Erfahrungen einordnen.

Für mich ist diese Zeit aus meinem Leben nicht wegzudenken, denn sie hat mir die Kraft gegeben, mit all den Umbrüchen überhaupt klarzukommen und Halt zu finden in Augenblicken, in denen ich mich vollkommen haltlos fühlte. Auch als wenige Jahre später mein Vater starb, waren es diese Gemeinschaft und dieser Glaube, die mir geholfen haben, mit dem Verlust zurechtzukommen.

Allerdings bin ich dieser Spielart des Christentums nicht treu geblieben, vielleicht weil jede Zeit nach ihren eigenen Antworten sucht. In meinem Studium habe ich die Weite des Christentums schätzen gelernt und möchte sie nicht mehr missen.

Aus heutiger Sicht kann ich meine Mutter nur dafür bewundern, welche Kraft und Hoffnung sie aus diesen Erlebnissen gezogen hat. Die Erfahrung „zwischen Himmel und Erde" hat sie zu dem werden lassen, was sie heute ist: eine integre und offene Frau, die andere durch ihren Bericht an der Freude teilhaben lassen will, die sie selbst - durch alle Tiefschläge hindurch - in ihrem Leben erfahren hat.

12 Bei Gott auf dem Schoß

Meine Zeit in Wiepkenhagen war immer mehr davon geprägt, dass ich Zeit mit Gott verbrachte, allein mit Gott. Ich hatte so viele Fragen. Fragen zum Alltag, über mich selbst und natürlich auch Fragen zur Welt. Manchmal hatte ich das Gefühl, dass ich gar nichts verstehe von all dem, was um mich herum passiert, und damit meine ich wirklich: *nichts!*

Umso mehr genoss ich die Zeiten, die ich mit Gott verbrachte. Genau das brauchte ich: seine Nähe und das Gefühl, auf seinem Schoß zu sitzen und zu genießen, dass ich mich an ihn anlehnen und bei ihm aus-ruhen konnte. Für mich war das ein vollkommen neues Gefühl! Ich hatte ja auch an meine Kindheit keine Erinnerungen, wusste nichts von einem, von *meinem* Vater. (Dass ich ihn tatsächlich nie gekannt hatte, das begriff ich erst viel später.)

Heute weiß ich, dass Gott mir damit auch gezeigt hat, was Vaterliebe bedeutet und wie wichtig sie in unser aller Leben ist. Die Liebe eines Vaters ist eine der wichtigen Grundlagen dafür, dass wir den anderen lieben können wie uns selbst.

Vor allem aber ist es mir zum Herzensanliegen geworden, diese Vaterliebe den Menschen nahezubringen, die (oft durch das Versagen ihres eigenen Vaters) ein gestörtes Verhältnis zu Gottes Vaterliebe haben oder ihn nicht als Vater annehmen können.

In der Zeit in Wiepkenhagen habe ich gelernt, Gott ganz und gar zu vertrauen. Anfangs war dieses Vertrauen aus meiner Zeit zwischen Himmel und Erde ungebrochen, ja ich würde sagen, kindlich naiv, und das war genau richtig so.

Mit der Zeit und meinem „Älterwerden" wurde der Abstand zwischen uns immer größer. Ich wurde selbstständiger, deshalb habe ich auch nicht mehr so viel gefragt, sondern manches nach meinem Ermessen getan. Eine gewisse kindliche Naivität habe ich dennoch behalten und das ist mehr als gut.

„Sprich ein Machtwort!“

In meinem letzten Jahr in Wiepkenhagen habe ich etwas erlebt, was sich mir eingebrannt hat - eine wichtige Lektion in Sachen Vertrauen zum Herrn.

Der Januar 2004 war noch nicht ganz vorbei, da ging wieder mal die Heizung nicht. Der Brenner wollte einfach nicht anspringen! Ich ahnte Schlimmes - und ein Gang in den Ölkeller bestätigte es: In allen drei Tanks herrschte gähnende Leere, nur noch eine Handspanne hoch stand das Heizöl. Oh weh!

Der Vermieter hielt sich da 'raus, und ich hatte kein Geld mehr, konnte also auch kein Öl bestellen. Ich dachte nach und suchte nach Möglichkeiten, was ich tun könnte, aber es kam nichts Brauchbares dabei heraus. Also ging ich mit hängendem Kopf erst einmal in den Stall, um die Tiere zu versorgen.

Wie ich so über den Hof lief, spürte ich plötzlich, wie in mir eine Kraft hochstieg, und mitten auf dem Hof sagte ich zu mir selber, und das nicht gerade leise: „Was bist du für ein kleingläubiges *A*...! Geh sofort 'rein und sprich im Namen des Herrn ein Machtwort!“

Ich war ganz erschrocken über meine eigenen Worte, ging aber sofort ins Haus, stellte mich vor den Brenner und gebot ihm: „Im Namen Jesu, geh an, auf der Stelle! Das Öl hat nicht alle zu sein! Jesus persönlich wird sich um alles kümmern!“ Oh, oh, Carmen, dachte ich anschließend, jetzt bist du wohl verrückt geworden, gut, dass es keiner gehört hat. Dabei drückte ich auf den Knopf – und die Heizung sprang an!

Danach wohnte ich noch ungefähr zehn Monate in dem Haus, aber ich brauchte keinen Tropfen Öl aufzufüllen und auch die Heizung ging nie mehr aus.

Noch hundert Kilometer

Kurz danach setzte Jesus „noch eins drauf": Nach dem Tod meines Stiefvaters an jenem Wintermorgen 1969 hatte meine Mutter wieder geheiratet, ich bekam zwei kleine Geschwister, Sven 1974 und Eva* dann 1977 – und nun wollten Eva, die inzwischen ebenfalls bei mir wohnte, und ich nach Löbau, um die Eltern zu besuchen.

Ich ahnte bereits bei der Abfahrt, dass mein Tank unterwegs leer werden würde, hatte aber kein Geld. Kurz vor Dresden, knapp hundert Kilometer vor dem Ziel – die Tankleuchte zeigte, wie mir schien, schon seit Ewigkeiten rotes Licht –, war es dann so weit.

Keine Tankstelle in Sicht und auch kein Geld in der Tasche! Da saßen wir nun, und was sollte uns schon einfallen, das wir tun könnten? Nichts! Und da war sie wieder, diese Stimme. Ich fing sofort an zu beten, gebot im Namen Jesu – und ließ meiner Verzweiflung freien Lauf.

Während des Gebetes spürte ich wie damals bei der Ölgeschichte wieder diese Kraft in mir aufsteigen und meine Verzweiflung wandelte sich in Freude: Wenn hier irgendjemand auch nur irgendetwas tun konnte, dann Jesus höchstpersönlich, kein anderer! Meine Schwester sah mich entgeistert an, aber ich lächelte nur, zuckte mit den Schultern und ließ den Motor an.

Ohne Probleme, auch ohne zu tanken, nur mit Lobpreis auf den Lippen, kamen wir in Löbau an. Dort füllte mein Bruder den Tank und schenkte mir noch einen großen Kanister Diesel. Damit fuhr ich ganz beruhigt die 560 Kilometer nach Wiepkenhagen zurück.

Eva war damals noch nicht Christ und vermutlich hat sie gedacht, ich wäre verrückt. So wie ich damals gelebt habe, werden das wahrscheinlich viele gedacht haben. Immerhin hatte ich ja einen kräftigen Tritt mitten ins Gesicht bekommen.

Niemals allein

Wiepkenhagen habe ich geliebt, jeden Tag mehr. Ich selbst bemerkte nicht, wie mein Körper von Tag zu Tag gesünder wurde, mitunter machte er richtig große Fortschritte! Für mich war alles, was geschah, vollkommen normal, es gehörte alles einfach dazu.

Und jeden Tag, den ich lebte, lebte ich mit Jesus. Er war der, dem ich bedingungslos vertraute, dem ich alles sagen konnte, der mich nie im Stich ließ, mir immer zeigte, wie es weiterging. Manchmal hat er mich auch zur Ruhe „gezwungen", mich aber nie „überredet". Jeden Tag gab er mir alle Liebe, die ich brauchte, um mich nicht einsam zu fühlen.

Denn nicht jeden Tag passierten solche Geschichten wie die, die ich erzählt habe; das waren eher seltene Ausnahmen. Dazwischen gab es immer wieder die stillen Zeiten und Tage, die Tage, an denen ich niemanden sehen wollte, die guten Tage, die andere als „schlecht" bezeichnen, weil sie sich einsam fühlen.

Ich kann mich an keinen einzigen Tag erinnern, von dem ich behaupten könnte, dass ich mich einsam gefühlt hätte. Wahrscheinlich hing das auch damit zusammen, dass mir lange Zeit die Gefühle fehlten – ich wusste: Jesus ist da, und das genügt. Ich wusste: Ich frage ihn einfach, und ich bekomme Antwort. Ich wusste: Was auch immer passieren mag, er lässt mich niemals allein. Bei allem, was bei Tag und bei Nacht auf mich zukam: Jesus war da.

In den besten Händen

Das liest sich sicher ganz leicht, und das war es auch. Komplizierter wurde es erst, als Stück für Stück meine Gefühle wiederkamen. Irgendwann kam auch das Ego zum Vorschein, von dem ich fast die ganzen Jahre in Wiepkenhagen gar nicht wusste, dass es so etwas überhaupt gab.

Ich wusste ja nichts mehr von der Liebe zwischen Mann und Frau, kannte weder Hass noch Neid oder Eifersucht noch all das, was das Menschenherz jeden Tag so sehr in Anspruch nimmt. Natürlich weiß ich heute, dass gerade solche Gefühle den Menschen vom Tier unterscheiden, aber ich weiß auch, dass ich meinen Gefühlen, meiner Leidenschaft, meinem Temperament nicht immer freien Lauf lassen darf.

Ich denke eher: „Alles zu seiner Zeit." Mit diesem Ausspruch hat Salomo wirklich recht, denn wenn man seine Gefühle nicht beherrscht, kann man so viel Schlimmes und so viele Schmerzen anrichten, und das bringt keinen vorwärts, im Gegenteil – man macht es sich selber schwer und irgendwann fragt man sich: „Warum ich, warum passiert das immer mir?"

Wäre es nicht viel besser, wenn man auch seine Gefühle unter Jesu Herrschaft legte? Es *ist* besser, zumindest weiß ich, dass das für mich persönlich so ist. Bei ihm sind meine Gefühle in den besten Händen!

Es ist ja nicht so, dass Jesus etwas dagegen hätte, dass wir Leidenschaft empfinden, dass wir genießen, dass wir temperamentvoll sind, dass wir Liebe weitergeben. Aber wenn ich meine Gefühle in seine Hand lege, dann hilft er mir, das Schlechte - Neid, Hass oder Eifersucht - zu beherrschen. Er ist doch da und trägt mit, immer, egal wie heftig es auf uns einstürmt: Nie bin ich allein! Das macht das Leben um so vieles leichter und erträglicher.

13 Abschied von Klaus

Der Traum

Im Oktober 2003 hatte ich eines Nachts einen erschreckenden Traum, und nach dem Aufwachen wusste ich ihn noch bis ins Detail: Ich sah, dass mein Mann starb, und ich sah auch, wie. Der Traum war so realistisch, dass ich tagelang danach noch Probleme hatte zu unterscheiden, ob das nun tatsächlich passiert war oder nicht.

Als ich munter wurde, war ich immer noch geschockt und ganz verunsichert. Ich wollte es nicht wahrhaben, doch mein Inneres sagte mir, dass Gott keine Scherze macht, nicht mit so etwas. Diese Sorte Träume kannte ich schon - nicht nur einmal hatte ich erlebt, dass Gott auf diese Art mir etwas sagen möchte.

Deshalb war ich zwar einerseits ganz ruhig und gelassen, aber andererseits wollte ich nicht wahrhaben, dass Gott das zulässt, einen kräftigen, gesunden Mann aus dem Leben zu rufen. Es war wie eine innere Zerrissenheit - es machte mir Angst und gleichzeitig wurde mir Gewissheit ins Herz gelegt.

Am selben Tag erhielt ich einen Anruf meiner Angestellten; sie klärte mich auf darüber, was in der Firma meines Mannes so lief. Zuerst begriff ich gar nicht, was sie mir damit sagen wollte, doch im Laufe des Gesprächs wurde mir klar, warum mein Geld im Unternehmen so knapp war.

Ich hörte die Worte und mir war klar, dass sie das schlechte Gewissen antrieb. Sie hatte Angst, sich schuldig zu machen. Es fiel mir sehr schwer, ruhig zu bleiben, als ich mir anhören musste, wie lange sie diese Betrügereien schon mitmachte: Mein Mann vermietete meine Baumaschinen, das Geld aber steckte er in seine eigene Firma.

Als ich den Hörer auflegte, war mir vollkommen klar, was ich zu tun hatte: So schnell es ging, musste ich meine Niederlassung schließen und auch meine Angestellte entlassen, sie arbeitete ja zu 90 Prozent im Unternehmen meines Mannes. So bereitete ich alles vor, was zu tun war, um alles an einem Tag sauber zu erledigen. Nach dem Abendessen erzählte ich Nicole von dem Traum und dem Anruf und was ich als nächsten Schritt dringend vor mir sah.

Mein letzter Besuch

Am nächsten Tag fuhr ich nach Sachsen. Ich spürte, dass ich Stärkung und Schutz brauchte, und wollte unbedingt mit meiner Freundin Kerstin in Herrnhut beten, bevor ich zu meinem Mann und meiner Angestellten fuhr.

Kerstin sah mich ganz entgeistert an, als ich so völlig unerwartet vor ihrer Tür stand. Auch sie hatte nämlich eine aufregende Nacht hinter sich: Gott hatte sie geweckt und ließ ihr keine Ruhe, bis sie aufstand und anfing, Psalm 35 zu beten – für mich. Alles sprudelte nur so aus ihr heraus.

Psalm 35? Den kannte ich nicht – und Kerstin meinte auf meine Frage, was denn da drinstehen würde, das wolle ich lieber nicht wissen. Wäre die ganze Situation nicht so traurig und aufregend gewesen, hätte ich am liebsten gelacht; sie sollte doch genau diesen Psalm für mich beten! Also drängte ich weiter und schließlich las sie ihn mir vor.

Schon die Überschrift ließ mich erschauern: „Gebet um Errettung von boshaften Feinden", hieß es in

Kerstins Lutherbibel; in der „Gute Nachricht Bibel" lautet die Überschrift: „Gott nimmt die Schwachen in Schutz".

Was beim Zuhören alles in mir vorging, das weiß ich nicht mehr; ich weiß aber noch, dass ich mich fragte, wie ich das denn aushalten sollte. Wir saßen dann noch eine ganze Weile beisammen, um alles vor unseren Herrn zu bringen und mich unter den Schutz seines heiligen Blutes zu stellen. Es war schon immer etwas Besonderes gewesen, mit Kerstin im Gebet vereint vor unseren Herrn zu treten, und ich danke ihm für meine treue Freundin.

Gott schützt die Schwachen

Herr, führe meine Sache gegen meine Widersacher,
streite mit denen, die gegen mich streiten!
Ergreife Kleinschild und Langschild
und erhebe dich, um mir zu helfen!
... sprich zu meiner Seele: Ich bin deine Rettung!

Es sollen beschämt und zuschanden werden,
die mir nach dem Leben trachten;
es sollen zurückweichen und schamrot werden,
die mein Unglück wollen!
Sie sollen werden wie Spreu vor dem Wind,
und der Engel des HERRN bringe sie zu Fall!
Ihr Weg sei finster und glatt,
und der Engel des HERRN verfolge sie!

Denn ohne Ursache haben sie mir
heimlich ihr Netz gestellt,
ohne allen Grund meiner Seele eine Grube gegraben.
So soll ihn unversehens Verderben ereilen;

und das Netz, das er heimlich gestellt hat,
soll ihn selber fangen, sodass er ins Verderben stürzt.

Aber meine Seele soll sich freuen am HERRN
und frohlocken über seine Rettung!
Alle meine Gebeine sollen sagen: HERR, *wer ist dir gleich,*
der du den Elenden errettest
von dem, der stärker ist als er,
ja, den Elenden und Armen von dem, der ihn beraubt!

Es treten ungerechte Zeugen auf;
sie stellen mich zur Rede
über Dinge, von denen ich nichts weiß.
Sie vergelten mir Gutes mit Bösem;
verwaist ist meine Seele.

Ich aber legte das Trauergewand an, als sie krank waren;
ich beugte meine Seele mit Fasten
und betete gesenkten Hauptes für sie;
ich ging einher, als wäre es mein Freund, mein Bruder,
und lief trauernd gebeugt,
wie einer, der um seine Mutter Leid trägt.

Dennoch freuen sie sich, wenn ich wanke,
und rotten sich zusammen […]

O Herr, wie lange willst du zusehen?
Befreie meine Seele von ihrem Gebrüll,
meine einsame von den Löwen! […]
Sie sperren ihr Maul weit auf über mich und rufen:
„Haha, haha! Nun sieht es unser Auge!"

Du hast es gesehen, o HERR; *schweige nicht!*
Herr, sei nicht fern von mir!
Erhebe dich und erwache, um mir Recht zu schaffen,

für meine Sache, mein Gott und mein Herr!
Schaffe mir Recht nach deiner Gerechtigkeit,
Herr, mein Gott,
dass sie sich nicht freuen dürfen über mich,
dass sie nicht sagen können in ihren Herzen:
„Haha, so haben wir's gewollt!"
Lass sie nicht sagen: „Wir haben ihn verschlungen!"

Es sollen alle zuschanden werden und sich schämen,
die sich über mein Unglück freuen;
in Scham und Schande sollen sich kleiden,
die gegen mich großtun.

Aber jauchzen und fröhlich sein
sollen alle, die meine Rechtfertigung wünschen;
sie sollen allezeit sagen:
Der Herr sei hochgelobt,
der das Heil seines Knechtes will!

Und meine Zunge soll reden von deiner Gerechtigkeit,
von deinem Lob allezeit!

Wie konkret ich diese Verse erleben sollte, hätte ich mir niemals vorstellen können - gut, dass ich keine Ahnung hatte!

„Aber jauchzen und fröhlich sein sollen alle, die meine Rechtfertigung wünschen; sie sollen allezeit sagen: Der Herr sei hochgelobt, der das Heil seines Knechtes will! Und meine Zunge soll reden von deiner Gerechtigkeit, von deinem Lob allezeit!" (Verse 27–28) - so gestärkt fuhr ich nach Großhennersdorf, um zu tun, was nötig war.

Ich sprach mit meinem Mann und erzählte ihm mein Vorhaben, dass ich heute meine Niederlassung schließe und meine Mitarbeiterin entlasse. Wir hatten auch noch ein gutes persönliches Gespräch, konnten vieles ansprechen und ausräumen. Wie schon vor Jahren wies ich ihn noch einmal darauf hin, dass unsere Beziehung bestimmt zu retten sei, würden wir nur nochmals ganz neu anfangen; aber von Großhennersdorf wollte Klaus nicht weg. Bei diesem Ge-spräch hatte ich ganz deutlich das Bild vor mir, das ich geträumt hatte.

Anschließend übergab ich meiner Angestellten das Kündigungsschreiben und fuhr dann zur Gemeindeverwaltung, um meine Niederlassung in Großhen-nersdorf abzumelden. Bis heute kann ich nicht sagen, woher ich wusste, was in einem solchen Fall zu machen ist; auch hier habe ich ganz deutlich erlebt, wie es ist, wenn Gott einen durchträgt und zeigt, was zu tun ist.

Am selben Abend fuhr ich nach Wiepkenhagen zurück und kam zwar spät, aber erleichtert dort an.

Geh zu deinem Vater!

In den nächsten Tagen sprachen wir beide lange darüber, was Nicole tun könnte. Das Ergebnis: Eine Woche vor Weihnachten würde Nicole für fünf Tage zu ihrem Vater fahren.

Ich wusste nicht, wann Gott Klaus zu sich holen würde – und immer war der Wunsch präsent, dass er es *nicht* tun würde; beide hofften wir, dass vor Weihnachten nichts passierte. Und dann war es dann so weit: Nicole belud unser Auto und los ging's.

Was wir nicht wussten: Am Morgen des Tages, an dem Nicole nach Sachsen fuhr, brachte Klaus seine Lebensgefährtin ins Krankenhaus; sie hatte so schlimme Unterleibsschmerzen, dass nur noch die

Klinik helfen konnte. Als Nicole in Neundorf ankam, war Sonja* also nicht mehr im Haus und so hatten Nicole und ihr Vater fünf Tage Zeit, nur für sich. Beide genossen das wirklich, sie redeten viel miteinander und konnten alles ausräumen, was zwischen ihnen stand.

Die beiden machten alles, was ihnen in den paar Tagen möglich war, sogar Plätzchenbacken. Immerhin reichten die Plätzchen für die Eltern von Klaus und auch für mich - und an dem Tag, als Nicole wieder nach Hause fuhr, wurde Sonja aus der Klinik entlassen! Dort hatten sie übrigens nichts gefunden, was den starken Schmerz verursacht haben könnte.

Nicole kam zurück und erzählte und erzählte - auch, dass sie ihrem Vater versprochen hatte, ihn an Ostern wieder zu besuchen. Wenn ich hörte, wie sie von ihm sprach, fiel es mir noch schwerer, an den Traum zu denken.

Dann kam Weihnachten. Immer wieder schwärmte Nicole davon, wie schön es mit ihrem Vater doch gewesen war, und dass sie sich schon auf Ostern freuen würde. Aber der Traum? In solchen Momenten wünschte ich, dass Gott uns vielleicht eine neue Chance geben würde.

Am 14. Januar 2004 musste ich in eine Diabetesklinik in der Nähe von Greifswald. Am 16. Januar kam Nicole zu Besuch; an diesem Tag war ich völlig durcheinander. Weil ich so aufgeregt war, bat ich sie, da es ja Winter war, etwas früher nach Hause zu fahren, damit sie noch bei Tageslicht ankäme.

Zwei Stunden später kam die Stationsärztin ins Zimmer und überbrachte mir die Nachricht, mein Mann sei heute Morgen verstorben. Sie war sehr behutsam und einfühlsam in ihren Worten.

Das Gefühl, das da plötzlich in mir hochstieg, kann ich gar nicht richtig beschreiben. Es war eine Mischung aus Wissen, da ich es ja schon lange vorher gewusst hatte, und einer Wut: Warum hatte Gott das zugelassen? Er ist doch Gott und hätte es auch anders machen können!

Bis dass der Tod euch scheide

„Bis dass der Tod euch scheide": Das sagte Pfarrer Kluge damals bei unserer Trauung in der Jonsdorfer Kirche. Nun war es so weit, der Tod hatte uns geschieden.

Am Tag der Beerdigung wurde mir auf einmal klar, wer dieses Mädchen war, das mir damals nach dem Unfall den schönen Psalm vorgelesen hatte: Es war meine Tochter Nicole!

Es dauerte auch sehr lange, bis ich wirklich begriff, was jetzt passiert war. Diese Epoche in meinem Leben hat mich noch mehr in eine wohltuende Ab-hängigkeit zu Gott gebracht, und diese Abhängigkeit möchte ich bis heute nicht missen. Oft hatte ich das Gefühl, dass er direkt da ist und mich geborgen und wohlbehütet in seinem Arm hält - und das tut er auch.

Der Fluch

Meine Schwiegereltern waren zu Tode betrübt, war Klaus doch ihr einziger Sohn. Aus heutiger Sicht ist mir das sehr verständlich; aber in ihrer Betrübnis gingen sie zu weit. Ich weiß nicht, ob mein Schwieger-vater sich dessen bewusst war, welche Macht

Worte haben können, aber ich denke, dass auch in der katholischen Kirche bekannt ist, dass man niemanden verfluchen soll. Jedenfalls hat er sich gewünscht, dass ich auch so schrecklich enden sollte, wie das seinem Sohn passierte; ich weiß, dass er mir die Schuld gab daran, dass Klaus starb, und er verbot mir sogar, zur Beerdigung meines eigenen Mannes zu kommen.

Heute ist mir klar, dass auch sie eine Antwort auf das Warum suchten und eben keine fanden. Dass dann Rachegedanken kamen, ist ja nur zu verständlich.

Was war das nur für ein Schmerz in meinem Bein? Er wurde immer schlimmer, ja mitunter fast unerträglich! Am Ende stellte sich heraus, dass ich eine Thrombose hatte. Und wieder zeigte mir Gott einen sehr deutlichen Traum: Ich sah meinen Schwiegervater, der immer und immer wieder einen Fluch über mir aussprach; mir fiel wieder Psalm 35 ein: „Sie trachten nach meinem Leben" (Vers 4 LUTHER).

Am Morgen rief ich eine Glaubensschwester an, bat sie zu mir und erzählte ihr von dem Traum und meinen Schmerzen. Wir beteten zusammen und prokla-mierten die Macht unseres Herrn Jesus Christus über meinem Leben und meinem Bein – und der Herr gab Gnade, der Schmerz war weg und ich konnte wieder ganz normal gehen, stehen und sitzen. Ganz weg war die Thrombose aber erst ein Jahr später; nach meiner Israelreise war sie nicht mehr nachzuweisen.

Nach unserem Gebet konnte ich meinen Schwiegereltern vergeben, und immer, wenn ich an sie dachte, habe ich sie gesegnet.

Mittendrin

Wenn man so einen Psalm wie den Psalm 35 liest, dann fragt man sich, was da an Sorge, Angst und Kummer dahinterstecken mag - und eigentlich will man es ja gar nicht so genau wissen. Wie haben David, Asaph und wie sie alle heißen, wie haben die Psalmbeter das nur ausgehalten? Wahrscheinlich nur, weil sie Gott vertrauten. Sie mussten lernen, loszulassen und grenzenlos zu vertrauen, Hand in Hand mit Gott zu leben, jeden Tag, jede Nacht, jede Minute. Das nenne ich „Leben mitten in einem Psalm".

Als ich den Psalm 35 zum ersten Mal hörte, erschrak ich gewaltig: Was für eine Angst lässt David uns da erkennen! Auch mir machte das Angst. Erst viel später begriff ich, warum: Unser Herr hat mich genau diesen Psalm Vers für Vers durchleben lassen - und dabei durfte ich lernen, was es heißt, „mittendrin" Gott bedingungslos zu vertrauen.

Ein Beispiel dazu wäre der Umgang mit Geld - vor dem Unfall habe ich ja mit Tausenden, am Jahresende sogar oft mit Millionen jongliert, und nachher dauerte es Jahre, bis ich gelernt habe, damit umzugehen. Aber dazwischen lernte ich, dass mein Vater im Himmel in jeder Lage für mich da ist, dass ich ihm gren-zenlos vertrauen kann. Dieser Prozess ging so tief, dass er wirklich zu einem Teil von mir wurde - ich begriff, dass dieses Vertrauen lebensnotwendig ist.

Was auch immer in dieser Zeit auf mich zukam: Mein Vater im Himmel war auch da, nie war ich allein, das vertrieb die Angst vor dem Ungewissen. So oft habe ich erlebt, wie der Vater mich sanft an sich gezogen hat, um mit mir weiterzugehen, obwohl ich immer wieder dachte: Carmen, das schaffst du nie!

Durch die fehlenden Erinnerungen kam es mir oft vor, als würde ich blind laufen und zwar auf so steilen Pfaden, dass ich, wäre ich allein gewesen, ab-gestürzt wäre. Heute weiß ich, dass Gott mich die ganze Zeit gehalten hat.

Vertrauen - das ist etwas, woran man festhält, und es gibt einem Halt. Aber zum Vertrauen gehört auch, dass man loslässt, und das durfte ich ebenfalls lernen. Und immer wieder hieß es aufzustehen! Über lange Strecken meines Lebens habe ich am Boden gelegen oder ich bin gekrochen, ohne wirklich zu wissen, wo es langgeht. Aber Gott wusste den Weg - und heute weiß ich: Das ist genug!

So lebe ich noch immer mitten in diesem Psalm, der ja am Ende des ersten Drittels zum Jubeln einlädt: „Aber meine Seele soll sich freuen am Herrn und frohlocken über seine Rettung" (Psalm 35,9). Das zeigt mir, dass der Herr uns nicht über die Maßen belastet und uns nur so viel auflädt, wie wir auch tatsächlich tragen können. Und damit wir es tragen können, schenkt uns der Herr kleine ermutigende Episoden im Leben, eben damit wir die Kraft nicht verlieren und uns an ihm freuen können.

Auch das gehört zum Vertrauen - und dieses Vertrauen zu Gott, das scheint mir das Wichtigste zu sein von allem, was ich lernen durfte.

Wenn man so in einem Psalm lebt, dann versteht man erst im Nachhinein, was da vorgeht, und man lernt das Staunen darüber, wie nahe der Herr einem dann ist, und wie er einem beisteht. Anfangs denkt man ja: „Das schaffe ich doch niemals! Was mutet Gott mir da zu, wie soll ich das nur aushalten?!" In diesen Momenten begreifen wir: Ich kann gar nichts, ich schaffe das wirklich nicht! Das ist höchst unbequem. Aber genau das will der Herr damit bewirken: dass wir begreifen, dass wir ohne ihn nichts tun können, absolut gar nichts.

Das meine ich so, wie es da steht - eine vollkommene Hilfslosigkeit, in der man sich fühlt wie ein kleines Kind. Denn erst dann kann der Herr etwas tun, erst dann, wenn wir endlich aufhören, ihm ins Werk zu pfuschen.

Mehrfach durfte ich schon miterleben, wie der Herr Großes tat und zwar ohne meine Hilfe. Denn die war nicht nötig und sie wäre auch gar nicht möglich gewesen.

Bis heute lebe ich „mitten in diesem Psalm", dem Psalm 35, und immer wieder erlebe ich Situationen, auf die dieser Psalm voll zutrifft; in den Zeiten dazwischen kann ich mit meinem Herrn jubeln. Doch heute weiß ich, dass es wohl ein Leben lang dauert, bis man wirklich am letzten Satz dieses Psalms angekommen ist (Vers 28): „Und meine Zunge soll reden von deiner Gerechtigkeit, von deinem Lob allezeit."

14 Abschied von Wiepkenhagen

Wie konnte Gott mir nur zumuten, meine geliebte Ostsee zu verlassen? Auf diese Idee wäre ich nie im Leben gekommen! Und ausgerechnet nach Thüringen?! Diese Aufforderung spürte ich nämlich in meinen Gedanken immer wieder. War meine Liebe zur Ostsee zu groß? Größer als die zu Gott? - Na gut, das mag ja sein; aber warum dann gleich so eine Rosskur?

Dass ich eines Tages tatsächlich nach Thüringen gehen würde, hätte ich mir in meinen wildesten Träu-men nicht vorstellen können. Woher die Idee kam, dass Gott mich in Thüringen gebrauchen will, das konnte ich nicht sagen, aber sie kam immer wieder hoch. Und jedes Mal wehrte ich mich mit einem immer lauter werdenden Nein.

Heute weiß ich, dass das zusammenhing mit meiner Kinderzeit in der DDR und unguten Erlebnissen in einem Kinderferienlager; aber auch jetzt, 2004, sah ich genügend Gründe, nicht von der Ostsee zu weichen. Zum einen war unser Pastor nach Thüringen versetzt worden - und dass er so ungern von der Ostsee weggegangen war, reichte mir aus, um „dagegen" zu sein. Viel wichtiger war für mich aber die brennende Frage: Wie konnte Gott mir das zumuten, tatsächlich meine heißgeliebte Ostsee zu verlassen?

Dass ich rausmusste, war mir klar; seit dem Tod meines Mannes lief nichts mehr. Monatelang wurde kein einziger Sack Bitumac verkauft und das bei über siebenhundert Kunden und einem gut funktionieren-den Zwischenhändlernetz! Dass meine Baumaschinen schon länger verkauft und andere Besitztümer verhökert worden waren, das bekam ich erst mit, als tatsächlich gar nichts mehr lief.

Meine Tochter war im August 2004 für ein Jahr nach Israel gegangen; nach 13 Jahren Schule wollte sie etwas anderes machen, und das Altenheim für Holocaust-geschädigte Juden war genau das Richtige für sie. Nicole war also nicht da, sie, die mir sonst immer zur Seite stand mit Rat und Tat.

Heute ist mir klar: Hätte Gott nicht so drastisch gehandelt, hätte ich es nie geschafft, wieder ins Leben zurückzugehen, neu anzufangen. Ich hätte getan, was *ich* wollte, und nicht das, was *er* für mich geplant hatte.

Keine Aufträge, kein Geld. Kein Geld, keine Miete. Da Klaus und ich gemeinsam veranlagt waren und die Schulden so hoch, hatte ich am Ende gar nichts mehr. Nichts, wirklich nichts.

Nur - zu spüren bekommen habe ich es lange nicht. Ich hatte ja Jesus an meiner Seite, und der ließ mich keine Sekunde aus den Augen. Bei ihm fühlte ich mich versorgt und geborgen, und tatsächlich war immer im rechten Moment Hilfe da: Immer dann, wenn ich etwas zu essen brauchte, waren Menschen da, die sich auch darum kümmerten. Immer, wenn es nötig war, steckte Geld im Briefkasten, von wem auch immer.

Dafür danke ich dem Herrn und den Gebern damals und heute. Denn nach wie vor lebe ich aus der Hand Gottes und nach wie vor liegt immer wieder mal Geld in meinem Briefkasten. Es stimmt: Gott weiß, was wir brauchen!

Die Annonce

Eines Tages gab mir jemand, der meine Notlage kannte, eine christliche Zeitung, „Idea Spektrum“. Da solle ich eine Annonce aufgeben, vielleicht könnte ich mit meinen Tieren - ich hatte Schafe und eine Ziege, Kaninchen, Hühner, Hund und Katze - also vielleicht könnte ich ja gegen Mithilfe im Haushalt auf einem Bauernhof eine Wohnmöglichkeit finden.

Das hörte sich ja erst einmal gut an, wie ein kleines Stückchen Paradies. Ich befolgte den Rat und bekam auch Antwort; die aussichtsreichste, wie mir schien, kam vom Bodensee - in dieses kleine Dorf in Oberschwaben konnte ich Hund, Katze und Ziege mit-bringen, überall sonst waren meine Tiere gänzlich unerwünscht. Außerdem war mir der Grund, warum ich gebraucht wurde, wirklich sehr einsichtig, und vor allem: Der Bodensee war weit weg von Thüringen!

Hund, Katze und Ziege - das bedeutete, dass ich mich von den Schafen, den Kaninchen und den Hühnern trennen musste. Als sie alle verschenkt oder geschlachtet waren, lud ich die Leute vom Bodensee zu mir ein, zum Kennenlernen und damit sie sehen konnten, wie ich hier lebte. So stand eines Tages ein Mann meines Alters vor der Tür, er hatte seinen 14-jährigen Sohn dabei.

Der Mann erzählte mir, er hätte eine Bibelschule besucht und wolle nun nach Myanmar, um den Menschen dort das Evangelium zu predigen. Ich verstand nur Bahnhof, wusste weder etwas von Myanmar noch hatte ich eine Ahnung, wie man den Menschen dort das Evangelium predigt. Mir war nur klar, dass er für Gott etwas ganz Gewaltiges tun würde – für mich Grund genug, mit Sack und Pack und meinen Tieren nach Süddeutschland zu ziehen, was ich im Dezember denn auch tat.

Das war sicher nicht die beste Entscheidung meines Lebens, aber sogar da hat Jesus mir genau im richtigen Moment die richtigen Menschen zur Seite gestellt, damit ich diesen Umzug von fast tausend Kilometern bewältigen konnte.

Die Ziege im Kofferraum

Ich fuhr mit meinem Pkw, es war ein VW Passat. Die Ziege war im Kofferraum, auf dem Rücksitz lag der Hund und neben mir, als Beifahrer, stand der Katzenkorb.

Alle zwei Stunden war Pause angesagt; die Ziege, die sich die Beine vertreten durfte, war an den Raststätten *die* Attraktion – das erste Dutzend Zuschauer um meinen Wagen herum zeigte dem ganzen Parkplatz, dass es hier etwas Interessantes zu sehen gab. Wasja schien die Aufmerksamkeit zu genießen, sie stolzierte vor ihren Bewunderern hin und her; ich selber hatte eher das Gefühl, einer Paparazzi-Horde ausgeliefert zu sein!

Was war ich froh, als diese tausend Kilometer geschafft waren.

Der Rausschmiss

Sieben Wochen lang hatte ich in der Wohnung die Wände gemalert und noch vieles andere getan, da saßen wir eines Abends zusammen und der Hausherr legte das Flugticket auf den Tisch. Ich bewunderte es – und plötzlich meinte er, er müsse gar nicht mehr nach Myanmar fliegen, eigentlich habe er schon gefunden, was er gesucht hätte.

Ich ahnungsloses Dingelchen fragte ganz verwundert, was es denn dort zu finden gebe, so weit weg von zu Hause? Er antwortete ziemlich verklausuliert, es ging ewig hin und her, ich begriff einfach nicht.

Endlich ließ er die Katze aus dem Sack – er habe sich eine Frau mitbringen wollen. Völlig perplex fragte ich ihn, ob man denn dort so einfach eine kaufen könne? Wieder ein ewiges Hin und Her, bis er endlich rausrückte mit dem alles entscheidenden Satz: Er habe ja mich gefunden und wolle, dass wir heiraten, denn er gehe nur mit einer Frau ins Bett, mit der er auch verheiratet sei. *Damals waren in meinen Erinnerungen noch immer ganz große Lücken. Ich wusste nichts von Ehe und all dem, was dazu gehört.*

Ich starrte den Mann an: „Und was soll ich mit dir im Bett machen?“ Diese eine kleine Frage hatte zur Folge, dass er mich kurzerhand hinauswarf – sollte ich jemals wieder auftauchen, würde er die Polizei rufen!

So saß ich also nach sieben Wochen Intermezzo am Bodensee wieder im Auto. Wie begriffsstutzig muss man sein, um nicht zu merken, was sich da anbahnte! Heute kann ich darüber lachen, aber damals war das einfach nur ganz schrecklich für mich. Ohne meinen liebenden Gott hätte ich das nicht überstanden!

Ich hatte nichts dabei außer dem, was ich gerade anhatte, und meinem Telefon. Auf dem wählte ich irgendeine mir unbekannte Nummer – und hatte meinen ersten Wiepkenhagener Pastor am Telefon, ja, genau den, der damals den Herrnhuter Stern und den erzgebirgischen Schwibbogen gesehen hatte. Steffen Klug war im August 2003 nach Thüringen versetzt worden – und jetzt, am 31. Januar 2005, machte ich mich ebenfalls auf den Weg dorthin.

15 Thüringen

Ausgerechnet Thüringen!

Da war ich also. In Thüringen. Da, wo ich nie im Leben hinwollte! Eigentlich hätte ich mir das Bodensee-Desaster ja ersparen können, wenn ich gleich auf Gott gehört hätte - aber nein: Ich bin mir ganz sicher, dass auch das kein Fehler war; denn auch dieses tiefe Tal gehörte dazu, dass ich den Weg zurück ins Leben gefunden habe.

Nun war ich Gott regelrecht ausgeliefert - und ich begriff bald, dass dieses Ausgeliefertsein etwas so Gutes ist, dass man dumm wäre, es nicht beizubehalten. In den ersten Wochen in Thüringen hatte ich den Eindruck, ständig in seinen Armen zu liegen, wo er mich ganz liebevoll festhielt und umwarb. Ich musste überhaupt nichts sagen, er verstand mich auch so. Dafür konnte ich mich ausweinen, so viel ich wollte. In mir war ja immer noch ein heilloses Durcheinander; die Zeiten, in denen ich mit „meinem" Gott allein war und in denen ich nicht sprechen musste, waren mir die liebsten.

Gut, dass andere wussten, was ich brauchte! Ich erinnere mich, dass eine Pastorin mir von „innerer Heilung" erzählte, die würde nun mit Gottes Hilfe geschehen - und eines Tages würde ich mich wundern, wie lange ich nicht mehr an dieses schlimme Erlebnis gedacht habe. Ich glaubte ihr kein Wort! Wie konnte sie glauben, ich könnte diese irrsinnige Aktion jemals vergessen! Aber sie hatte recht.

Es dauerte zwar eine ganze, mir schien: unendliche Weile, bis ich begriff, dass ich schon seit Tagen, irgendwann waren es sogar Wochen, gar nicht mehr daran gedacht hatte, wie schwer und furchtbar das alles war. Der Schmerz in mir war kleiner geworden. Ausgerechnet in Thüringen!

Eine Woche Siloah

Ein Vierteljahr lang durfte ich bei Klugs im Gästezimmer wohnen; mein innerer Zustand besserte sich immer mehr. Und immer mehr gab ich Gott Raum in mir, das tat meiner Seele gut.

Ende April brauchten sie das Gästezimmer und Steffen hatte eine blendende Idee: Er schickte mich für eine Woche nach Siloah, das ist eine christliche Familienkommunität in Neufrankenroda.

Hier fühlte ich mich recht wohl, zumindest die ersten beiden Tage. Da konnte ich dem Stress, den ich dort wohl spürte, nämlich noch einigermaßen ausweichen; doch dann spitzte er sich zu und man sagte mir, bei der Vorbereitung des alljährlich stattfindenden Blütenfestes würden alle Hände gebraucht.

So richtig klar war mir nicht, was ein Blütenfest war; ich wunderte mich nur, dass keiner auf die Idee kam, um mindestens drei Hände mehr für jeden zu beten! Der Stress war ja wirklich nicht auszuhalten.

Aber es war sehr interessant hier, es gab so viele neue Leute kennenzulernen: Menschen aus Berlin, die obdachlos waren und durch die Berliner Stadtmission den Weg nach Siloah gefunden hatten. Oder junge Leute, die mal für ein Jahr in Siloah waren, um ihren Weg zu finden.

Endlich war das Wochenende da und das Blütenfest begann. Die Hausmutter Helgard Laue steckte mich in die Küche und ich half. Gegen Mittag schickte sie mich weiter hoch in den Hof, um zu erkunden, ob etwas fehlte.

Ich trat aus der Küche und stand im unteren Hof - und traute meinen Augen nicht: Da waren hunderte, ja tausende Leute in alten Klamotten, die heute niemand mehr anzog! Das hatte ich direkt nach meinem Unfall gesehen! Ich stand und guckte wie gebannt auf das, was ich da zu sehen bekam - es glich dem Bild von damals bis ins Detail.

Die große Frage

Ich war nun schon eine Woche in Siloah und der Stress steigerte sich immer noch von Tag zu Tag. Das Blütenfest ist ein wunderschönes Fest, es zeigt eine bunte Vielfalt des mittelalterlichen Handwerks und Lebens, ein ganzes Wochenende lang - das begeisterte mich.

Am Sonntagmorgen kam Hubertus, der Leiter für Kinder- und Jugendarbeit, zu mir und fragte mich - ich zitiere: „Carmen, kannst du dir vorstellen, mit allem, was du hast und bist, dich hier einzubringen und Hausmutter zu sein?"

Mein „Nein!" kam wie aus der Pistole geschossen; das konnte ich mir wirklich nicht vorstellen, tagtäglich diesen Stress auszuhalten. Meine Erfahrungen mit solchen Häusern beschränkten sich auf das, was ich in dieser einen Woche gelernt hatte, und sowohl meine Hausfrauenkünste als auch mein Organisationstalent empfand ich als äußerst dürftig.

Gegen Mittag kam Jörn, er kümmerte sich um die Obstplantagen, die Schaf- und Zebuherden und überhaupt die Landwirtschaft, und fragte mich tatsäch-lich und wortwörtlich genau dasselbe! Das schwächte mein klares Nein schon etwas ab - ich wusste nicht, was ich ihm antworten sollte. Die beiden hatten sich doch bestimmt abgesprochen! Wer kann da noch einen klaren Gedanken fassen?

Am Abend waren wir alle glücklich, dass das Blütenfest gut zu Ende gegangen war - nur mich ließen sie nicht in Ruhe: Jetzt kam auch noch Pfarrer Schaube und fragte mich, richtig: wortwörtlich ein drittes Mal dasselbe! Was soll einem da noch einfallen?

Mir fiel ein, was ich neulich in der Bibel gelesen hatte - Jesus fragte den Petrus drei Mal: „Hast du mich lieb?" Und erst als Petrus auch drei Mal gesagt hatte: „Herr, du weißt alles, ich hab dich lieb", erst dann segnete Jesus ihn. Also versprach ich Pfarrer Schaube: „Ich denk mal darüber nach."

Ich wusste ja, dass ich in ein paar Tagen meine Tochter besuchen wollte, die nach dem Abitur für ein Jahr nach Israel gegangen war. Dort würde ich sicher eine Antwort bekommen! Schließlich war ich dort im Heiligen Land, da *musste* der Herr mir doch sagen, ob ich nach Siloah gehen sollte oder nicht.

So einfach war das nämlich gar nicht, denn ich hatte auch ein Angebot, in der Schweiz eine freie Gemeinde mit aufzubauen. Kennengelernt hatte ich Pastor Johannes* in den sieben Wochen am Bodensee bei einem Besuch in der Schweiz.

Israel

Als das Flugzeug abhob und ich aus dem Fenster schaute, wunderte ich mich, dass in mir kein bisschen Flugangst war. Vor dem Unfall hätten mich keine zehn Pferde in ein Flugzeug gebracht! Das hatte sich jetzt ins genaue Gegenteil verkehrt - ich war sowas von begeistert vom Fliegen! Es konnte mir gar nicht lang genug gehen.

Bevor ich in den Flieger stieg, flehte ich den Herrn an, mir doch bitte eine Antwort zu geben, was ich tun soll: Siloah oder Schweiz?

Nach der Landung kam die Passkontrolle und das Warten am Gepäckband. Das war nicht schwierig, ich konnte einfach den anderen hinterhergehen. Aber dann? Wohin jetzt? Und wo war Nicole? Sie wollte mich doch abholen.

Ich muss ziemlich hilflos herumgestanden haben, jedenfalls kam eine junge Dame vom Bodenpersonal lächelnd auf mich zu und fragte mich auf Deutsch, ob sie mir helfen könne. Ja, wirklich, sie konnte mir helfen - und bald lagen Nicole und ich uns in den Armen. War das ein Wiedersehen! Lachen mischte sich mit Freudentränen, es war einfach nur schön und gewaltig.

Wir beide hatten eine wunderbare Zeit miteinander; und es gab auch hier so manche Situation, über die ich heute lachen kann - damals fand ich sie aber gar nicht lustig. Hier nur zwei Beispiele, wie sie unterschiedlicher nicht sein könnten:

Auf dem Weg zum *schuk*, zum Jerusalemer Mahane-Yehuda-Markt, kommt man an sehr vielen Geschäften vorbei, in denen man ebenso viel zu essen kaufen kann. Besonders ein Bäckerladen hatte es mir angetan und Nicole ging hinein, um etwas zu holen. Als sie zurückkam, bleib sie wie angewurzelt stehen und hörte gerade noch, wie ein Mann zu mir sagte, er würde mich gerne heiraten - ob ich einverstanden wäre?

Er sprach kein gutes Englisch, und ich verstand kein Wort. Das einzige Wort, das mir bekannt vorkam, war „marry", und ich dachte, der erzählte mir von einer Hochzeit, bei der er vielleicht eingeladen war. Nicole sorgte dafür, dass er seine Antwort bekam: mir läge nichts daran, ihn zu heiraten, und zog mich schnell weg mit der Bemerkung, man könne mich keine Minute allein lassen!

Das andere sehr beeindruckende Erlebnis hatte ich in der Holocaust-Gedenkstätte Yad Vashem in Jerusalem. Wenn ich von irgendwem gehört hatte, er schäme sich, Deutscher zu sein (meistens war das kurz nach dem Besuch in einer Holocaust-Gedenkstätte, im ehemaligen KZ Auschwitz zum Beispiel), dann konnte ich das nicht verstehen. Ich fand das übertrieben und unmöglich. Wie konnte man sich für sein Herkunftsland schämen? - So kam ich nach Yad Vashem.

Alles, was ich dort sah, hörte oder las, traf mich sehr. Ich war erschüttert! Das war ich auch, als ich zum ersten Mal in Buchenwald war, aber Yad Vashem war richtig schlimm für mich.

Da waren große Tafeln, unterteilt in Länder, auf denen standen die Namen der Menschen, die Juden vor den Nazis gerettet hatten. Wie wenige Deutsche halfen den Juden! Das fand ich erschreckend.

Und als ich dann erst sah, wie viele Niederländer ihr Leben riskiert hatten! Oder der Güterwagen auf der abgebrochenen Brücke: „Es gibt keinen Weg zurück" …

Wenn man ein paar Stunden durch Yad Vashem gelaufen ist, zumindest ging mir das so, dann kann man die deutsche Sprache nicht mehr ertragen. Ich habe mich so geschämt, Deutscher zu sein; ich bat meine Tochter, bitte nicht mehr zu reden, solange wir da drin waren.

Das Schlimmste, und da konnte ich die Tränen nicht mehr zurückhalten, war der „Palast der Kinder". Wer jemals da drin war, kann mich sicher verstehen: Man betritt diesen stillen Raum und steht unter einer riesigen nachtblauen Kuppel. Es gibt kaum Licht. Dann leuchtet ein Stern auf und ein Bild und es wird ein Name genannt, der Name eines Kindes, das von den Nazis ermordet wurde. Tag für Tag werden diese vielen Kindernamen genannt. Als ich da wieder rauskam, hatte ich das Gefühl, dass ich jetzt ein anderer Mensch war. Es war mir, als könne ich die Schreie, die Fragen nach dem Warum und die vielen Tränen sehen und hören. Noch heute, zwölf Jahre danach, macht mich das betroffen.

Als ich wieder in Deutschland war, sagte jemand zu mir, das wäre doch alles gelogen mit den Juden, die Deutschen hätten das niemals getan. Mir blieb fast die Luft weg und in mir stieg eine unbändige Wut hoch. Am liebsten hätte ich ihn gelyncht! Aber dann empfahl ich ihm, einmal nach Yad Vashem zu gehen, das schien mir noch besser.

Erst denken, dann beten!

Aber da war immer noch die Frage „Siloah oder Schweiz?", und ich brauchte eine Antwort von Gott! Also bat ich meine Tochter, ob wir nicht gemeinsam beten könnten. Ich musste doch wissen, was ich tun sollte, und das spätestens, wenn ich wieder in Thüringen war. Also beteten wir und proklamierten: „Jesus hat gesagt: Meine Schafe hören meine Stimme! Gott hat versprochen, dass er uns den besten Weg zeigt!"

Seit diesem Gebet weiß ich, das Gott unser Gebet sehr ernst nimmt und dass man lieber sein Gehirn einschalten sollte, bevor man den Mund aufreißt. Ich sagte nämlich zum Herrn: „Wenn heute etwas passiert, was mir das Blut in den Adern gefrieren lässt, dann weiß ich, dass ich nach Siloah gehen soll. Aber bitte sag mir auch, wie lange!"

Auf dem Rückflug gab es außer ein paar kleinen Turbulenzen nichts Spektakuläres. Nach der Landung setzte ich mich in mein Auto und fuhr los. In meinem Kopf drehten sich die Gedanken und ich sah die Bilder vor mir von all dem, was ich in Israel erlebt und gesehen hatte. Dann wieder Siloah – und die brennende Frage: „Was soll ich tun?" (Wem kommt das bekannt vor? Wenn man so gar nicht weiß, wie es weitergeht, und grübelt und grübelt – und dann immer noch grübelt …)

So fuhr ich in Gedanken und kam ganz gut voran. Kurz vor Thüringen war eine Baustelle, und gegen Ende der Baustelle überholte ich einen ewig langen Lkw. Ich war schon fast am Führerhaus angekommen, als plötzlich sein Reifen platzte! Mein erster Gedanke war: „Eine Granate oder so was!" – schließlich kam ich gerade aus Israel.

Und dann ging es ganz schnell: Erst der Knall, dann sagt doch tatsächlich jemand: „Geh zwei Jahre nach Siloah", und ich gab nur noch Gas, denn der Lkw schoss gefährlich nach links. Aber da war doch ich! Die einzige Rettung war wohl Vollgas – und das war genau das Richtige: Kaum war ich vorbei, da war der Brummi auch schon hinter mir.

Alles in und an mir zitterte. Ich bin mir sicher, mein Blut hätte man würfeln können, so war es gefroren! Ja, genau darum hatte ich Gott gebeten – und ich bekam alles genau so, wie ich es mir erbeten hatte! Gut, dass hinter mir erst mal niemand mehr kam; so fuhr ich weiter, wenngleich nicht mehr ganz so schnell.

Als Erstes ging ich zu meinem Pastor Klug und erzählte ihm, was mir gerade eben passiert war. Gut, dass Steffen mich schon eine ganze Weile kannte! Er nahm das Telefon und machte gleich für den nächsten Tag einen Termin mit Pfarrer Schaube ab, um den Arbeitsvertrag perfekt zu machen, denn noch eine Überraschung brauchten wir wirklich nicht.

16 Hausmutterfreuden

Vom Beruf und der Tätigkeit einer Hausmutter wuss-te ich gar nichts bis auf das, was Helgard Laue mir beigebracht und was ich beobachtet und ihr nachgemacht hatte. Es war natürlich sehr, sehr interessant: Ich hatte von nichts Ahnung und durfte alles neu lernen - wie das eben so ist mit einer gelöschten Fest-platte: Man muss sie wieder mit Daten vollstopfen. Ich bin mir echt nicht sicher, ob es wirklich jemandem bewusst war, dass ich so gar keine Ahnung hatte. Ab und zu sagte ich das zwar, aber irgendwie ging es dann doch wieder gut, und mir scheint, dass es wirklich keiner gemerkt hat.

Heute weiß ich, dass Jesus mich durchgetragen hat durch die vielen kleinen und großen Herausforderungen, die mich innerhalb der nächsten zwei Jahre erwarteten. Und da gab es wirklich einige, die mich himmelhoch jauchzen ließen, und andere, die mich fast zur Verzweiflung trieben. Ein paar Erlebnisse will ich gerne erzählen.

Eva

Ich war erst seit ein paar Tagen Siloah-Hausmutter, da sagte Gott ziemlich deutlich zu mir: „Lade deine Schwester ein!“ Als mir klar war, dass ich mich nicht verhört hatte, erwiderte ich: „Nein! Das mache ich nicht! Ich bin ganz neu hier und arbeite erst seit einer Woche in Siloah, da werde ich nicht so verrückt sein, meine Schwester einzuladen. Der muss ich ja jedes Wort aus der Nase ziehen! Nein! Ich habe jetzt mit mir selber wirklich genug zu tun!“

Eigentlich hätte ich es ja wissen müssen, dass Jesus mir nun keine Ruhe lässt – und richtig: Immer wieder hakte er nach und erinnerte mich daran, meine kleine Schwester einzuladen. Ein paar Wochen hielt ich durch, dann rief ich Eva an und bat sie zu kommen.

So gefährlich war das nun auch wieder nicht, denn meine Schwester konnte sich nie sofort entscheiden, alle Entscheidungen schob sie erst mal auf die lange Bank. Besonders zu der Zeit war Eva sehr, sehr schweigsam und immer unschlüssig, ob sie nun lieber Ja oder Nein sagen wollte. Also, dachte ich bei mir, ich ruf sie an und sie wird wieder ewig überlegen müssen, ob sie nun kommt oder nicht.

Siegessicher nahm ich den Hörer ab und wählte und hatte sie tatsächlich gleich an der Strippe. So legte ich los – aber ich kam gar nicht bis zum Schluss mit meinem Redeschwall, da sagte Eva schon: „Ja, ich komme!“ Was war denn das? Habe ich mich jetzt verhört?? Total verunsichert war ich jetzt, ich muss recht seltsam aus der Wäsche geguckt haben. Eine Woche später war Eva da, mein Bruder Sven war auch dabei.

So viel wie in dieser Woche hatte ich noch nie mit meiner sonst so schweigsamen Schwester gesprochen! Je mehr sie sich öffnete, desto klarer wurde mir, dass ich mit meinem Anruf und der Einladung wie ein Strohhalm war, den sie ohne zu zögern ergriff.

Am Tag vor ihrer Abreise bat ich Eva, heute doch mit nach Siloah zu kommen; als gelernte Köchin könne sie mir sicher helfen und dann könnte ich an diesem Freitag mal etwas früher nach Hause gehen. Auch hier sagte sie ohne zu zögern zu; darüber freute ich mich wirklich sehr!

Nun gibt es freitags in Siloah immer ein besonderes Mittagsgebet, mit Psalmlesung, viel Lobpreis, Gebet und Abendmahl. Ich erklärte ihr vorher, da sie ja nicht getauft sei, solle sie nur ein wenig den Kopf schütteln und dann wisse der Pfarrer schon Bescheid; er würde sie aber ganz sicher segnen. – Als ob Gott das interessieren würde!

Das Abendmahl kam erst zum Schluss, da war Eva schon verschwunden. Ich hatte eine unglaublich freudige, ja fast heilige Unruhe in mir, wusste aber nicht, warum.

Nach einer Stunde stand sie wieder vor mir, tränenverschmiert und mit einem Leuchten in den Augen – also mir musste keiner mehr sagen, was da passiert war! „Wie konnte ich so dumm sein und das nicht eher begreifen, dass Jesus mich sooo lieb hat!" Wir fielen uns in die Arme und weinten beide vor Freude über diese neue Liebe.

Als wir nach Hause kamen, saß unser Bruder auf der Couch. „Eva, was ist denn mit dir passiert? Du siehst so ganz anders aus!" Das war der Moment für Evas erstes Glaubenszeugnis – sie strahlte über das ganze Gesicht.

Zwei Wochen später stand sie mit zwei großen Taschen bei mir in der Wohnung. In Löbau hatte sie ihre Zelte abgebrochen, jetzt legte sie in Thüringen einen Neustart hin. Ihren Tauftag konnte sie kaum erwarten, sie fieberte ihm regelrecht entgegen, und an diesem Tag war Eva wohl der glücklichste Mensch auf Erden!

Und was soll ich sagen: Aus dem stillen, schweigsamen Mädchen wurde eine selbstbewusste junge Frau, die mitunter redete wie ein Wasserfall.

Die Speisung der Sechstausend

Am letzten Wochenende im April 2007 war wie jedes Jahr Blütenfest angesagt. Wieder wurde stramm gearbeitet, um alle Vorbereitungen zu treffen, wieder war Stress in Siloah. Das waren Hoch-Zeiten, manchmal hatten wir alle das Gefühl, es nicht mehr auszuhalten, doch hat Jesus uns nie im Stich gelassen.

Ich hatte das Gefühl, dass es zigtausende Menschen waren, die an diesem Wochenende in den Hof strömten. Naja, aber Tausende waren es wirklich, zumindest waren sechstausend Karten verkauft worden (aber schwertgroße Kinder brauchten noch keine Karte). Aus Erfahrung rechnete man mit vielen Besuchern und entsprechend umfangreich waren die Einkäufe und Lebensmittelbestellungen. Mit vollen Gefrier- und Kühlhäusern ging ich gelassen an das alljährliche Abenteuer heran.

Aber wenn dann am zweiten Tag zu Mittag nichts mehr da ist und die Kühlhäuser so gut wie leer sind, dann wird einem schon schwummrig und man besinnt sich auf das Normalste, was man da tun kann: *Beten!* Das haben wir denn auch getan.

Und Gott hat Wort gehalten: Nicht *ein* Topf wurde leer, das Brot wurde nicht alle. Alles hat gereicht bis zum Schluss! Am nächsten Tag kam der Pfarrer und meinte: „Siehst du, Carmen, nun haben wir mal die Speisung der Sechstausend erlebt!“

Nächstenliebe lernen

In Siloah gab es viele junge Leute, die hier ein Freiwilliges Soziales Jahr machten (heute heißt das Bufdi, Bundesfreiwilligendienst, BFD). Warum gerade in Siloah? Dafür gab es viele Gründe.

Zu den meisten FSJ-lern hatte ich ein sehr gutes Verhältnis; ganz sicher waren die zwei Jahre Siloah-Hausmutter eine gute Schule für mich - sie fassten Vertrauen und schütteten mir das Herz aus. So durfte ich lernen, für andere Seelsorgerin zu sein.

Doch wie das so ist im Leben, man hat auch Menschen um sich, an denen man lernt, was es heißt: „Liebe deinen Nächsten wie dich selbst." Auch ich musste das lernen; je mehr ich wieder ins Leben hineinwuchs, umso mehr musste ich lernen, auch die zu lieben, bei denen das nicht so leicht war. Und ich hatte ja Tag für Tag mit so vielen unterschiedlichen Charakteren zu tun! Aber ich gab nicht auf, ich wollte auch das mit der Nächstenliebe lernen.

Da gab es eine junge Frau, die ihr schlechtes Verhältnis zu ihrer Mutter voll auf mich projizierte; es dauerte eine ganze Weile, bis ich das begriff - und dann konnte ich natürlich besser darauf reagieren. Heute kann sie mich sogar anlächeln, wenn wir uns mal sehen.

Mit einigen jungen Leuten, Mädels wie Jungs, habe ich viel Zeit im Gespräch verbracht; da ist es einfach schön, sich mal wieder zu begegnen, und auch nach Jahren ist es dann, als wäre es erst gestern gewesen.

Israelische Küche

Eines Tages kam ein Ehepaar zu mir, sie wollten gern in Siloah Silberhochzeit feiern und sie hätten gern israelische Küche gehabt. Na gut, dachte ich, dann eben israelisch, kein Problem. Dabei hatte ich keine Ahnung, wie man israelisch kocht. Aber man kann sich ja schlau machen, was ich auch tat. Zutaten bestellen - und los geht's! Die Vorbereitung dauerte drei Tage, alles aus frischen Zutaten, keine Fertigprodukte. Nach den drei Tagen war dafür ich so fertig, dass ich am liebsten davongelaufen wäre!

Am Abend des großen Tages wollte ich gerade nach Hause gehen, da kam einer der Gäste auf mich zu. Ob ich die Carmen wäre - also so ein gutes und leckeres israelisches Essen wie hier habe er noch nie gehabt! -, und umarmte mich. Das war ein schöner Abschluss dieses Dreitagerennens.

Luise

„Kerstin, das ist aber schön, dass du anrufst! Was gibt's Neues?" Mit Kerstin hatte ich schon einiges erlebt in unserer langjährigen Freundschaft; sie hatte damals in der Nacht vor meiner letzten Begegnung mit Klaus für mich gebetet. Heute bedrückte Kerstin etwas, sie erzählte mir von ihrem Patenkind Luise.

Als sie damit fertig war, beschlossen wir, jetzt gleich für Luise zu beten. Kerstin hatte ihr nämlich einen Siloah-Prospekt untergejubelt und nun beteten wir dafür, dass sie es sich wenigstens mal anschaute. Ich hatte die junge Dame noch nie gesehen, aber wir waren gespannt, was Gott für sie tun würde.

Eines Tages kam der Jugendleiter Hubertus zu mir und meinte, heute käme ein junges Mädchen; sie wolle sich in Siloah umschauen, aber sie wolle auf keinen Fall den ganzen Tag Küchendienst machen. Die junge Dame hatte ihre Mutter dabei und stellte sich mit „Luise" vor. Genau - *unsere* Luise.

Ein hübsches Mädchen, aber, wie mir schien, recht schwierig.

Wir unterhielten uns eine ganze Weile und vermutlich hat sie sich in dieser halben Stunde dann doch für den Küchenbereich entschieden. Von da an verbrachten wir viel Zeit miteinander, wir hatten viele Gespräche. So konnten Kerstin und ich nun immer wieder ganz spezifisch für Luise beten. Davon hatte die Gute keine Ahnung – dass wir einander gut kannten und dass wir gemeinsam für sie beteten. Aber Gott erhörte unser Gebet.

Kerstin wollte Luise in Siloah unbedingt mal besuchen und Luise freute sich sehr auf Kerstin und ihren Mann. Das Mädchen hatte sich in dieser Zeit sehr verändert, war doch der Glaube, den sie im Kopf gehabt hatte, nun auch in ihr Herz gerutscht; und das verändert einen wirklich.

Ich freute mich natürlich auch sehr auf Kerstin – und als sie endlich hereinkam, haben wir uns herzlich und lange umarmt. Dann weihten wir Luise in unser „Geheimnis" ein und sie fand das richtig genial!

Loslassen

Siloah war eine Lebensschule, nicht nur für Luise und die anderen jungen Leute, sondern auch für mich ganz persönlich. Ich bin unserem Herrn sehr dankbar, dass er mir das geschenkt hat! Nun hatte Gott mir ja damals eine genaue Zeit angegeben, damals auf der Autobahn, als mein Blut mal kurz zu Eiswürfeln wurde, und das hatte ich immer im Hinterkopf: „Geh zwei Jahre nach Siloah!"

Pfarrer Schaube nahm mehrmals Anlauf und wollte mich überzeugen, meinen Vertrag auf fünf Jahre zu verlängern; aber Gott hatte gesagt: „Geh zwei Jahre!“, und zwei Jahre sind nun mal nicht fünf Jahre. Also blieb ich dabei und ging nach zwei Jahren, das war im November 2007.

Meinen Resturlaub verbrachte ich im Oktober mit einer Missionarin in der Türkei. Auch da war Jesus Christus mit uns - ich durfte erleben, dass eine Muslimin Jesus ihr Leben gab, nachdem sie meine Geschichte gehört hatte. Wie groß Gott doch ist!

Zur gleichen Zeit, ja die ganze Zeit in Siloah verspürte ich den Wunsch, an die Ostsee zurück-zugehen, und er wurde je länger, desto stärker. Dass diese Sehnsucht immer größer wurde, das konnte ich mir nicht erklären; jedes Mal, wenn ich mit unserem Pastor Steffen Klug zusammen war, waren wir nach fünf Minuten beim Thema Ostsee - und jedes Mal verkrampfte sich mein Herz vor Sehnsucht.

In dieser Zeit erzählte ich Anahit am Telefon davon. Sie meinte, ihnen gehe es genauso; einer der Brü-der würde jeden Montag in der Gebetsstunde darum beten, dass ich zurückkomme. Oho! Jetzt ging mir ein Licht auf; Derek Prince schrieb in einem seiner Bücher, solche Gebete seien Zauberei. Kein Wunder, dass ich mich so hin- und hergerissen fühlte!

Sofort rief ich diesen Bruder an und sprach mit ihm darüber; dann haben wir zusammen Buße getan und darüber gebetet. Und was geschah nun? In mein Herz zog ein wunderbarer tiefer Friede ein. In seines übrigens auch. Nun konnte ich die Ostsee tatsächlich loslassen und wusste: Da, wo Gott mich hinschickt, dort ist mein Zuhause.

Die erste Zeit, nachdem ich in Thüringen gelandet war, wohnte ich ja in der Familie unseres Pastors

Steffen Klug, von Ende Januar 2005 bis in den April hinein. Im Mai bekam ich in Schmalkalden eine Wohnung, die fiel sozusagen direkt vom Himmel. Ich hatte eine Wohnung gesucht, aber überall gab es nur Absagen, oder sie war von vorherein zu teuer. Ich gab auf - und dann griff Jesus ein! Das ist ja oft so, dass sich etwas tut, wenn wir loslassen und den Herrn machen lassen.

Es war wirklich gut, dass ich endlich eine eigene Wohnung hatte. Offensichtlich konnte ich nun weiter vorangehen.

17 Danke für mein Leben!

Während meiner zwei Jahre in Siloah-Neufrankenroda lernte ich auch, wie man predigt. Ich sollte und wollte den Menschen ja von Gottes Liebe berichten; da dachte ich, wenigstens die Grundlagen dafür sollte ich mir schon aneignen. Das war so:

Ein paar Tage nach dem Einzug in meine Wohnung sah ich nach dem Gottesdienst einen Handzettel von einer unserer Bibelschulen, von der in Stuttgart, genauer gesagt in Stuttgart-Giebel. Ich schaute ihn mir an, dachte kurz nach - und legte ihn wieder hin. Unser Pastor hatte das beobachtet und fragte mich, ob ich nicht an diesem Seminar teilnehmen wolle, es war eine Art Fernstudium.

Ich rief dort an, aber das nächste Seminar war bereits ausgebucht. Steffen fragte nochmals nach - und bat sie, mich auf die Warteliste zu setzen, falls ein Platz frei werden würde. Mir war das im Moment allerdings ziemlich egal, denn ich hatte nur die Israelreise im Kopf: Endlich Nicole wiedersehen, endlich wieder bei meinem Kind sein! Außerdem brannte in mir die Frage: „Schweiz oder Siloah?"

Kurz vor Beginn des Seminars kam dann tatsächlich der Bescheid, dass ich doch teilnehmen könne - und auch die Kostenfrage klärte sich ganz ohne mein Zutun! Bis heute bin ich dankbar für die vielen Menschen, die mir damals immer wieder auch finanziell unter die Arme griffen. An dieser Stelle euch allen ein herzliches Dankeschön!

Auf Anraten meines Pastors hatte ich zwar alles in die Wege geleitet, um Ordnung in mein Leben zu bringen - aber ich brauchte wirklich guten Rat und befolgte ihn mehr oder weniger blind. Jedenfalls verstand ich nichts von alledem, ich wusste nur eines:

Steffen Klug und seinem Vorgänger Dieter Weigel konnte ich vertrauen. Was auch immer sie mir rieten, das tat ich ohne zu murren oder es auch nur zu hinterfragen. Naiv? Kindlich? Ja, das sagten viele; aber ich bin heute noch froh, dass ich es genau so gemacht habe und nicht anders.

Ins kalte Wasser: Fernstudium

Jedenfalls fing ich jetzt das Studieren an. Auf der ersten Fahrt dachte ich an die Diagnose, die mir fünf Jahre zuvor eine 90-prozentige geistige Behinderung vorausgesagt hatte. Gott tut wirklich große Wunder!

Das Studium führten wir größtenteils zu Hause durch; jeden zweiten Monat trafen wir uns für ein Wochenende in Stuttgart. Das fand ich immer ganz schön anstrengend, denn bei den vielen Diskussionen kamen in mir viele Fragen hoch - weniger über die Aussagen in der Bibel als vielmehr wegen der Aussagen und Ansichten der Anwesenden.

Zum Beispiel hatten wir stundenlange Diskussionen über das Thema „Die Frau schweige in der Gemeinde". Das war für mich oft sehr kräftezehrend, zumal ich ja ein paar Wochen nach Studienbeginn meine Tätigkeit in Siloah aufnahm, und auch dort war alles neu für mich.

Und es gab noch etwas Neues: Sofort nach dem ersten Treffen in Stuttgart-Giebel hielt ich meine erste Predigt - auch das ohne zu wissen, wie man das richtig macht. Ich sprang ins kalte Wasser und habe mich freigeschwommen.

In den zwei Jahren, so lange ging die Ausbildung, war es auch in Siloah nicht immer einfach und leicht.

So war durch beides, Studium und Siloah, mitunter für sehr anstrengende Zeiten gesorgt.

Kein Vergnügen

Anstrengend fand ich die tägliche Fahrerei, besonders im Winter; da brauchte ich für die 32 Kilometer anderthalb Stunden! Wenn die Straße frei war, schaff-te ich es in der halben Zeit, aber ich musste den Thüringer Wald überqueren und der ist nicht umsonst als Wintersportgebiet bekannt.

Im Winter fuhr ich oft ganz früh los; ich wusste, dass um sechs Uhr der Winterdienst zum Rennsteig fährt, und wenn ich mich an den anhängte, kam ich gut den Berg hinauf. Oben angekommen, brauchte man nur ein paar Minuten zu warten, dann kam der Winterdienst von der Gothaer Seite; der wendete und fuhr die Strecke wieder zurück. Und ich hinterher.

In Friedrichroda am Nordrand des Gebirges war „Halbzeit" angesagt, jetzt waren es also nochmals 16 Kilometer, aber die hatten es auch in sich, besonders im Winter.

Nach dem ersten Winter hatte ich den Kanal ziemlich voll; die neue Autobahn war ja auch noch nicht fertig und so waren zwischen Schmalkalden und Friedrichroda immer viele, viele Lkw auf der Straße. Dadurch war die Fahrerei, schöne Landschaft hin oder her, auch im Sommer kein Vergnügen.

So reifte der Wunsch, nach Friedrichroda zu ziehen. Meine Schwester, die ja bei mir wohnte, war von dem Vorschlag ganz begeistert! Und wir mussten nicht suchen; das Häuschen kam regelrecht zu uns, und im Mai 2006 zogen Eva und ich nach Friedrichroda. Sie wohnte in dem kleinen Haus unten, ich oben.

Rote Kirche, grüne Tür

Bis dahin war ich jeden Tag durch Friedrichroda gefahren und gelegentlich ging ich dort in die Christus-Kirche, hatte sogar hier gepredigt. Nachdem wir nun in Friedrichroda wohnten, gehörte der Sonntagsgottesdienst am Ort dazu, und eines schönen Sonntags, unser Bruder Sven war gerade zu Besuch, gingen wir wie immer zum Gottesdienst.

Aber was hatte Sven nur? Er stand da und starrte die Tür an. Als ich ihn fragend ansah, half er mir auf die Sprünge: „Carmen, das ist doch die Tür, die große grüne Eingangstür zu der roten Kirche, von der du immer gesprochen hast. In dieser Kirche bist du nach oben gegangen und hast dich selber predigen sehen!"

Ich war sprachlos. Das war mir noch nie aufgefallen, dass diese Kirche eine große grüne Eingangstür hat! Diese Erkenntnis machte mich total glücklich; in dem Moment begriff ich, dass all der Stress, alle Anstrengung der letzten Wochen und Monate mich jetzt an den richtigen Ort geführt hatten.

Ob mein Bruder je verstanden hat, wie wichtig diese seine Erkenntnis in dem Augenblick für mich war? Für mich war es ein wichtiger Anfang: Endlich sah ich einen guten Grund dafür, dass Gott mich wieder ins Leben zurückkehren ließ, und ich fing an, ihm dafür zu danken.

Wenn ich jetzt in dieser Kirche Predigtdienst hatte, sah ich das Bild aus dem Koma ganz oft vor mir – und dann war ich einfach nur glücklich, dass ich an der richtigen Stelle angekommen war, da, wo Gott mich haben wollte. Es gab nur noch einen Wermutstropfen darin – die Frage: Gott, *warum* durfte ich nicht durch jenes Tor, hinter dem die Engel so wunderbar musizierten? *Warum??*

Reha mit Doppelnutzen

Gegen Ende der zwei Jahre Siloah bekam ich eine dreiwöchige Diabetes-Reha. Morgens war ich noch beim Zahnarzt – und als ich gegen Mittag losfahren wollte, konnte ich mein Auto nicht mehr lenken! Gut, wenn man Freunde hat; jemand brachte mich die knapp zwei Stunden nach Bad Kissingen. Es ging mir wirklich schlecht, immer wieder musste ich mich übergeben und konnte kaum noch gehen. Es fühlte sich an, als wäre meine ganze rechte Seite gelähmt.

Was war nur mit mir los? Zum Glück begriff die Nachtschwester in der Reha-Klinik, dass ich einen Schlaganfall hatte. Seit dem Morgen war ich mit einem unerkannten Schlaganfall herumgelaufen!

„Herr, muss das denn wirklich sein? Auch das noch!?“ In den ersten Wochen war ich wütend auf Gott – dabei hatte er doch dafür gesorgt, dass ich gleich in die richtigen Hände kam; so blieb die halbseitige Lähmung ohne langfristige Folgen.

Über zwei Jahre lang wohnten wir schon in dem Häuschen in Friedrichroda, da war für Eva und mich die Zeit gekommen, wieder eigene Wege zu gehen. Ein Jahr gaben wir uns Zeit, dass sich jeder eine

Wohnung sucht. Ich machte mich schnell auf und schaute mir sehr viele Wohnungen an. Aber ähnlich wie in Schmalkalden: Ich bekam nur Absagen oder die Wohnung war zu teuer.

So wurde es März. Zwischen Tomaten und Kartoffeln sprach mich im Gemüseladen eine ältere Dame an - ob ich denn schon eine Wohnung gefunden hätte? Da gebe es doch in der Schmalkalder Straße ziemlich weit draußen dieses Haus, das stehe schon so lange leer. Sie gab mir den Namen der Vormieterin - und Ende Mai 2009 konnte ich einziehen! Ein Dank an die vielen Freunde, die mir halfen, die Wohnung bewohnbar zu machen.

Mein Zustand besserte sich weiterhin; die viele Ruhe, die ich jetzt hatte, tat meinem Körper gut. Die Zeit als Hausmutter mit berufsbegleitendem Studium war doch sehr intensiv gewesen, und ich musste jetzt sozusagen Lehrgeld zahlen. Anderthalb Jahre lang predigte ich kein einziges Mal, das fühlte sich sehr lang an! Aber ich brauchte diese Zeit, um meine Grenzen kennenzulernen und weiter mich selbst zu finden, deshalb bin ich auch dafür dankbar.

Inzwischen habe ich mit Gottes Hilfe gelernt, mit meinem Körper und meinen Kräften hauszuhalten und mich nicht immer bis fast zum Zusammenbrechen zu verausgaben. Das soll nicht heißen, dass ich auf der faulen Haut läge - aber ich gehe jetzt anders an die Dinge heran: Bevor ich etwas Neues anpacke, nehme ich mir Zeit, um darüber nachzudenken.

Seit einigen Jahren predige ich wieder - mehr als je zuvor - und es macht mir Freude, Gottes Wort in die Welt hinauszutragen.

18 Hof mit Himmel

Kinder helfen Kindern

In unserer Kirche ist es normal, dass Pastoren nach ungefähr zehn Jahren in eine andere Gemeinde versetzt werden. Gut finde ich das nicht und ich meine, man sollte wirklich mal darüber nachdenken, ob das nicht endlich mal geändert und der heutigen Zeit etwas anpasst werden könnte. Nur weil etwas schon immer so war, muss es doch nicht in Ewigkeit so bleiben!

Langer Rede kurzer Sinn: Unser Pastor Steffen Klug wurde versetzt und wir kamen „in Vakanz“ - die Pastorenstelle war eine Weile unbesetzt.

Alle erwarteten mit Spannung seinen Nachfolger. Wie könnte es anders sein: Pastor Rohrlack war wieder ganz anders, aber ebenfalls ein sehr interessanter Mensch, und ich konnte eine Menge von ihm lernen, besonders was die Gemeindearbeit angeht.

Und mein Radius erweiterte sich bedeutend: Im Januar 2013 lud Steffen Klug mich in seine neue Gemeinde ein - ich sollte einen besonderen Kindergottesdienst gestalten zum Thema „Kinder helfen Kindern“; das machte ich schon seit Jahren in unseren drei Gemeinden in der Umgebung.

Außerdem hatte er ein Interview mit einer Reporterin des ERF-Studios arrangiert; ich sollte „Kinder helfen Kindern“ vorstellen, vor allem aber wünschte sich Steffen, dass ich Kinderdienst-Mitarbeitern in seiner Gemeinde dieses Thema nahebrachte.

So lernte ich Ingrid Heinzelmaier kennen, sie ist Redakteurin beim Evangeliumsrundfunk (ERF) in Wetzlar. Mitten in unserem Gespräch fragte sie mich plötzlich, was ich denn für einen Dialekt habe, thüringisch spräche ich jedenfalls nicht. Und wie ich denn nach Thüringen gekommen sei, wollte sie wissen.

Diese Frage kam wie aus dem Blauen, völlig unerwartet und doch so gut von Gott geplant. Für mich war diese Frage nämlich immer das Signal: Erzähl deine Geschichte!, was ich dann auch tat.

Aber ich kam nicht weit - schon nach wenigen Sätzen fragte sie mich, ob sie das anderen erzählen dürfe? Ihre Freundin arbeite bei der ERF-Sendung „Hof mit Himmel" mit und eine andere Redakteurin mache beim ERF-Radio die Sendung „Glaube - erlebt, gelebt". Ob die beiden mich anrufen dürften?

Mit einem Achselzucken sagte ich: „Von mir aus." Wen sollte das schon groß interessieren?

Nach zwei Tagen fuhr ich wieder nach Hause, und am nächsten Morgen klingelte das Telefon: Eine junge Dame von „Hof mit Himmel" wollte mich kennenlernen - eine Stunde später hatte ich ein paar Interviewtermine und den Termin für die Aufnahme, und im März sollte ein Kamerateam nach Friedrichroda kommen und an bestimmten Punkten filmen. Am nächsten Tag rief auch Simone Nickel vom Radio an und das bescherte mir noch ein paar Termine.

Den 20. März 2013 werde ich nicht so schnell vergessen: „passend" zum Frühlingsanfang herrschte den ganzen Tag heftiges Schneegestöber! Das Wetter war alles andere als gut, für die Filmaufnahmen hätte ich mir warmen Sonnenschein gewünscht, aber es passte gut zum Thema der Sendung: „Einmal Himmel und zurück". Kurz darauf war ich dann in Wetzlar, wo beide Sendungen aufgenommen wurden.

Die Röntgenbilder

In dieser Zeit musste ich einmal zu meiner Ärztin. Sie bat mich, in der Klinik in Dresden nachzufragen, ob ich nicht ein paar Röntgenaufnahmen bekommen könnte von meinem Kopf; sie wollte gerne wissen, welche Stellen denn genau betroffen waren. Wie sollte ich das nur anstellen? Ich hatte keine Ahnung.

Am selben oder am nächsten Tag rief mich ein Siloah-Mitarbeiter an; Martin wollte mir seine zukünftige Frau vorstellen. Wir verabredeten uns für das Wochenende, und da erzählte ich auch mein neuestes Problem wegen der Ärztin und den Röntgenbildern.

Jenny sah da aber gar kein Problem – ich solle doch einfach in der Klinik anrufen, die würden mir bestimmt helfen; sie arbeite auch in einer Klinik, auf der Intensivstation. Da wollte ich natürlich wissen, wo genau, und als ich ihre Antwort hörte, blieb mir doch vor Erstaunen und vor Freude der Mund offenstehen! Ja, richtig: Jenny arbeitete tatsächlich in genau der Klinik in Dresden und auf genau der Intensivstation, auf der ich gelegen hatte. Zufall? Niemals!

So kam ich tatsächlich zu einem sehr aussagekräftigen Röntgenbild; Jenny überbrachte es mir persönlich. Sie hatte nämlich einen Spezial-Auftrag. Zuerst erzählte sie mir, damals hätten alle gedacht, wenn ich wirklich aus dem Koma zurückkäme, würde ich garantiert im Rollstuhl sitzen.

Dann zeigte sie mir das Röntgenbild und die Bruchstelle in der Halswirbelsäule; jetzt sah ich zum ersten Mal selber, dass da tatsächlich ein ganzes Stück Knochen fehlte. Danach kamen Grüße von denen, die mich noch kannten, und schließlich die

Anfrage, ob ich denn mal in einer Lehrstunde davon berichten könnte, wie Komapatienten ihr Koma erleben?

Wieder in Dresden

So fuhr ich also ein paar Wochen später mit dem Zug nach Dresden und wurde am Bahnhof abgeholt. Die Freude war wirklich groß, als ich ankam. Für mich war es ein sehr seltsames Gefühl, bei vollem Bewusstsein all das wiederzusehen, was damals für mich so unwirklich gewesen war.

Während der Stunde mit dem Fachpersonal sah ich eine junge Frau, die bitterlich weinte. Allmählich wurde sie ruhiger und nach der Stunde erzählte mir Simone*, was sie so bewegte: Ihre Mutter hatte einen Unfall gehabt und lag danach im Koma, genau wie ich, aber sie kam nicht wieder zurück.

Obwohl ich davon nichts wusste, hatte ich auch gesagt, ich könne es sehr gut verstehen, wenn jemand in dieser Herrlichkeit bleiben und nicht mehr in diese Welt zurückgehen wolle. – Ich hoffe, es hat Simone ein wenig geholfen, mit ihrem Schmerz zurechtzukommen.

Dies ist nur einer von tausend Gründen, warum ich nicht mehr an Zufall glaube wie Leute, die ohne Gottes Leitung durchs Leben gehen. Gott weiß genau, was für uns wichtig und richtig ist, und er überlässt es nicht dem blinden Schicksal; er sorgt dafür, dass tatsächlich das geschieht, was für uns das Beste ist.

Die Premiere

Und wieder erfüllte sich eines der Bilder, die ich damals im Koma gesehen habe: eine kleine Wohnung, in der sechs alte Damen und Herren zu Gast waren, und ich mitten unter ihnen.

Und so sah es dann im wirklichen Leben aus: Ende Mai 2013 lief mein „Hof mit Himmel", und eine Zuschauerin - sie gehörte auch zur EMK und hatte es deshalb nicht schwer, mich zu finden - lud mich zu ihrem Seniorennachmittag ein. Ich staunte nicht schlecht, als ich in den Raum kam und die sechs alten Herrschaften dasitzen sah! In mir kam richtig Freude hoch und ich dachte nur: Wie im Himmel! Das war also mein erster Vortrag, meine Premiere.

Im neuen Jahr ging es so richtig los, und für April 2014 hatte ich die erste Einladung von „Christen im Beruf" (CiB), für die ich heute noch unterwegs bin. Ich war noch lange nicht in jedem „Chapter", so heißen die Ortsgruppen-Treffen - im deutschsprachigen Raum gibt es über hundert -, aber immerhin habe ich bisher in etwa 40 Chaptern meine Geschichte erzählt.

„Aglow" wurde aufmerksam und lud mich ein, und auch in Gemeinden, auf Frauenfrühstücken und in Selbsthilfegruppen durfte ich die Botschaft von Gottes Liebe zu uns bringen. Dadurch habe ich sehr viele verschiedene Menschen kennenlernen dürfen und ich freue mich sehr, wenn auch die, die bisher noch zweifelten, Jesu Liebe annehmen.

Schwer wird es für mich, wenn am Schluss der Veranstaltung Menschen zu mir kommen, um mit mir zu beten. Das tue ich wirklich gerne - aber dann bitten sie mich, ob sie mich einmal anfassen dürften, und wollen unbedingt ihre Hand auf die Stelle legen, an der Jesus mich berührt hat und wo ich jetzt die weißen Haare habe.

Was glauben diese Leute denn, wer ich bin? Ich bin genau so ein Gotteskind wie alle anderen auch, die Jesus lieben. Meist nehme ich sie dann einfach in die Arme und drücke sie ganz beherzt, und damit ist dieser „Bann“ gebrochen. Ich sage es ihnen auch, dass ich in keiner Weise etwas Besonderes bin, auch wenn das, was ich erleben durfte, noch so besonders zu sein scheint. Wenn ich Biografien lese und sehe, welche Leute Gott sich ausgesucht hat, um mit ihnen Geschichte zu schreiben, dann bin ich gut und gerne ein richtig kleines Licht!

„Fang endlich an!“

In einem der ersten Vorträge, das war in Bayern, lernte ich eine Frau mittleren Alters kennen. Sie hatte feuerrotes Haar, ihre Haarpracht hat mich echt begeistert. Heidi ist eine ganz Nette, und sie fragte mich nach dem Vortrag laut von ihrem Platz aus, wann sie denn mein Buch kaufen könne. Ups! Ich muss ziemlich verdutzt aus der Wäsche geschaut haben.

Ich hatte schon mal darüber nachgedacht und auch ein paar Seiten aufgeschrieben, fünfzehn an der Zahl, am Ende waren es dann aber nur acht. So auf die Schnelle antwortete ich nur: „Das wird noch dauern.“ Sonst nichts.

In einer anderen Veranstaltung von Christen im Beruf wurde ich gleich mehrmals gefragt und ich sagte immer nur: „Das dauert noch.“

Beim Chapter in Amberg habe ich Heidi und ihren Mann Werner wiedergesehen und auch bei anderen CiB-Veranstaltungen in der Region. In Donauwörth fragte sie mich noch einmal und wieder sehr deutlich – und jetzt endlich begriff ich: Das war nicht Heidis Ruf, sondern Gottes Ruf, und Gott sagte zu mir: „Fang endlich an!“ Was ich dann auch tat, wenn ich Zeit hatte.

Irgendwann bekam ich eine Anfrage von einem christlichen Verlag; die Dame dort hatte meine „Hof mit Himmel“-Sendung gesehen und fragte, ob der Verlag die Rechte für ein Buch bekommen könnte. Ich schickte ihr erstmal zu, was ich bis dahin geschrieben hatte, und sie empfahl mir, es lektorieren zu lassen – jemanden, der das Buch für mich schreibt, würde ich nicht brauchen.

Das hörte sich recht einfach an, aber das war es nicht. Ganz im Gegenteil: Ein Jahr lang wartete ich darauf, dass der Verlag eine Lektorin für mich fand, und es passierte nichts.

Irgendwann wollte ich nicht mehr und sagte zu Gott: „Wenn du willst, dass ich das Buch schreibe, dann musst du mir einen Lektor geben.“ Das war im September 2016.

Im Oktober hatte ich verschiedene Einladungen nach Süddeutschland, auch in den südlichsten Teil des Schwarzwalds, den Hotzenwald, an der Grenze zur Schweiz. Dort sprach ich unter anderem auch in Rickenbach, einer Gemeinde mit viertausend Einwohnern in insgesamt 13 Ortschaften, also tiefste Provinz. Es waren vielleicht drei, vier Dutzend Zuhörer da in diesem „Chapter Hochrhein“ – und darunter war wieder eine Frau, die am Schluss der Veranstaltung zu mir kam und mich fragte, ob ich schon ein Buch geschrieben hätte!

Irgendwie habe ich mich in diesem Moment von Gott verschaukelt gefühlt. Ich antwortete nur, ich hätte angefangen – und sie gab mir ihre Karte. Und was sah ich da?? Da war sie, die Lektorin! Ich stand da und wahrscheinlich blieb mir mal wieder der Mund offen. Ich dachte: „Aha, so macht man das also, man lässt los, damit Gott endlich mal machen kann."

Was habe ich mich in diesem Moment gefreut – naja, es hat noch ein wenig gedauert, bis ich mein Glück fassen konnte. Eins weiß ich (natürlich wusste ich das schon vorher): Was Gott tut, das wird richtig gut!

Schon im Dezember war ich wieder im Hotzenwald; das nutzten wir für ein erstes Arbeitstreffen. Dieses Mal hatte ich aber keinen CiB-Vortrag; der Grund für meine Reise war ein anderer, und wieder mal hatte ich keinen blassen Schimmer, was das werden sollte und wie es sein würde.

Wie im Oktober war ich auch jetzt zu Gast bei den Chapterleitern Alois und Angelika Amend; sie hatten Andreas Lange von „WunderHeuteTV" eingeladen, damit er mit mir ein Interview machte.

Am 31. Januar 2017 war es dann so weit; jetzt kann jeder das Interview anschauen, auf YouTube und auf der Internetseite von WunderHeuteTV: „Nahtoderfahrung: Den Himmel keinesfalls verpassen!" In den ersten sechs Monaten wurde es 46 000 Mal aufgerufen, inzwischen sind es schon über 158 000 Aufrufe (Stand August 2020).

Und wieder stand mir ein Umzug ins Haus, und ein Umzug lässt sich nun nicht mal eben in einer Woche erledigen, auch wenn das neue Zuhause nur am anderen Ende der Straße steht. Also zwei Monate Vortragspause! Doch dank diesem Interview konnte ich meine Botschaft in noch viel größerem Maß verbreiten, als das mit Vorträgen möglich gewesen wäre (es sei denn, Jesus würde Fußballstadien füllen; auch das traue ich ihm zu).

So zeigt der Herr, dass er wirklich viel größer ist, als wir uns auszudenken vermögen. Eigentlich müsste ich das ja wissen, aber auch ich bin nur ein ganz normaler Mensch.

19 Ab heute heiß' ich Paul

Als ich Witwe wurde, war ich noch keine fünfzig Jahre alt – aber nochmals zu heiraten, danach stand mir nicht der Sinn. Nach dem Unfall wartete ich ja fünf Jahre lang darauf, dass ich wieder „nach Hause" dürfte, und ich hatte ohnehin lange keine Ahnung, was das mit dem Heiraten eigentlich so auf sich hatte.

Ich fühlte mich rundum geborgen und gesättigt in Gottes Liebe und nach all den Querelen mit Klaus und dem Intermezzo am Bodensee war ich mir sicher: Das soll nicht mehr sein. Diese Überzeugung gab mir eine gute, schöne Freiheit, auf alle Menschen unbefangen zuzugehen.

Eines Tages meinte einer im Chat gleich nach den ersten Sätzen, in der Anonymität des Internets wäre es ja leicht, eine große Klappe zu haben. Sollte ich das auf mir sitzen lassen? Ich hatte nichts zu verbergen, also antwortete ich kurzerhand, er solle doch herkommen, dann könne er mich „in echt" erleben. Und er kam tatsächlich!

Ich holte ihn am Bahnhof ab, und als er vor mir stand, hatte ich den Eindruck, diesen Mann schon ewig zu kennen: ein älterer, gepflegter Herr mit guten Manieren und, wie es schien, noch dazu intelligent. Dem Alter nach hätte er mein Vater sein können, aber das störte mich nicht.

Eine Woche später wurde Dieter Paul achtzig, Anlass für einen Gegenbesuch im Westerwald! Eine schöne Gegend ist das, aber unser kleines Friedrichroda gefiel ihm viel besser, er hatte sich geradezu verliebt in das Städtchen und wollte gerne hierherziehen. Über mir war eine Wohnung frei, und Dieter fackelte nicht lange, sondern brachte den Umzug so schnell wie möglich hinter sich. Das war Anfang 2013.

Nun war er da - und irgendwann rückte er heraus mit der Sprache: Er sei zwar noch verheiratet, lebe aber schon viele Jahre von seiner Frau getrennt. Hilfe, nicht schon wieder! Sowas war doch schon mal, damals am Bodensee …

Ich war ganz schön schockiert und wusste erst mal keinen Rat, so bat ich unseren Herrn um Hilfe. Schließlich war Dieter Pfarrer im Ruhestand. Ein Diener Gottes also! Da konnte Gott ja nun wirklich eingreifen.

Und das tat er auch. Dieter hat Schritt für Schritt die Verhältnisse geordnet und am 4. Mai 2015 haben wir geheiratet. Jetzt heiße ich Carmen Paul.

Es ist schön mit uns beiden. Wir tun füreinander, was wir nur können - ich genieße es sehr, dass ich Dieter alles fragen kann, was ich nicht mehr weiß, und manchmal nenne ich ihn „mein Wikipedia". Wir tolerieren unsere Eigenarten. Wir beten für- und miteinander. Dieter hält mir für meinen Dienst den Rücken frei und unterstützt mich, wo er kann.

Wer sucht, der findet: Alter Mann zu junger Dame

Ich bin Dieter Paul und habe das Glück, mit Carmen Paul verheiratet zu sein.

Wie kommt ein alter Mann an eine viel jüngere Frau? Ganz einfach: Man muss im Internet suchen. Und wie findet man jemanden, der geistlich passt? Ganz einfach: Man muss Gott machen lassen.

An die Einzelheiten unseres Kennenlernens erinnere ich mich nicht mehr. Ich weiß nur noch, dass ich fasziniert war von Carmens Frömmigkeit; dieses Wort hört sie übrigens gar nicht gern. Dabei war ich zeitlebens sehr skeptisch gewesen, wenn ein Gemeindeglied sich besonders fromm gebärdete. Als Theologe habe ich den Pietismus zwar immer geschätzt; doch der Erweckungsbewegung und dem Gemeinschaftswesen gegenüber war ich zurückhaltend.

Und nun hatte ich es mit einer Frau zu tun, die Methodistin war, also einer der Gemeinschaften angehörte, die im 19. Jahrhundert zur Konkurrenz mit der Volkskirche antraten. Carmen konnte frei beten, hatte es aber nicht nötig, sich mit der „Sprache Kanaans" zu profilieren. Sprache Kanaans – so ironisieren wir Theologen gerne das schwülstige Gerede mit vorgefertigten religiösen Floskeln, die die Leute gern in der Gebetsgemeinschaft absondern, während sie vor Andacht sabbern, wie Luther einmal bemerkte.

Carmen ist anders. Das merkte ich sofort! Ihr Vertrauen auf den lebendigen Jesus ist nicht ein Plakat, das sie vor sich hertragen würde; es ist ganz schlicht und einfach ihre Lebensregel. Ich sehe und höre in Gesprächen und erlebe es immer noch, wie sie als ganz normale Frau ihren Weg kennt und entschlossen geht. Und da wollte ich mitgehen.

Ich habe keinerlei Neigung zu pietistischer Emotionalität, dafür kann ich ihr so manches aus dem Fundus der wissenschaftlichen Theologie mitteilen. Carmen hat ja nur eine dürftige Ausbildung in allenfalls handfester Laientheologie; aber sie ist dankbar für das, was ich ihr erkläre. Sie versteht sehr gut, dass unser Glaube keine Insel ist, sondern sich in der modernen Welt bewähren muss. Ich teile mit ihr die

Überzeugung, dass Jesus - der historische, der gegenwärtige und der kommende Herr - das Heil der Welt ist und der Welt das Heil schaffen wird.

Die Geschichte von Carmens Unfall und den Erlebnissen im Koma hat mich natürlich aufgewühlt, in unseren ersten Wochen erzählte sie mir etwas davon. Eine richtige Vorstellung bekam ich aber erst, als ich sie an meinem damaligen Wohnort ihren Vortrag halten ließ, das war in Hamm an der Sieg im Westerwald. Damals hatte ich die Premiere knapp verpasst; immerhin war es noch eine der ersten Gelegenheiten. Inzwischen sind ja viele gefolgt und Carmen kommt in ganz Deutschland herum.

Natürlich habe ich, der akademisch gebildete Theologe, mir kritische Gedanken gemacht über Carmens Berichte. Es wäre ja denkbar, dass die Bilder, die sie im Koma gesehen hat, ähnlich wie Träume einfach Reproduktionen sind von Kenntnissen, die sie im Laufe des Lebens gewonnen hat. Aber woher hätte sie die Kenntnis über den auferstandenen Jesus und die „Atmosphäre“ gewonnen haben können, die sich ihr im Himmel offenbarte? Darauf hatte ich keine Antwort, ich konnte nichts entdecken. Manche Details bleiben für unser menschliches Hirn rätselhaft.

Aber es gibt für mich keinen Zweifel, dass Gott sie das hat erfahren lassen. Ich bin froh und danke Gott dafür, dass Carmen mit ihrem Zeugnis so viele Menschen zu erreichen vermag. Damit bringt sie womöglich mehr Leute zum Glauben an Jesus, als ich es mit meinen intellektuellen Predigten je vermocht habe.

Als wir uns kennenlernten, war ich noch verheiratet; ich hatte mich nicht scheiden lassen wollen. Meine

Ex-Frau, ebenfalls 20 Jahre jünger als ich, hatte sich um eines jüngeren und wohlhabenderen Mannes willen von mir getrennt. Dennoch wollte ich keine Scheidung, denn dann hätte sie nach meinem Tode die recht ansehnliche Pfarrwitwen-Pension verloren.

Carmen und ich kamen zu dem Ergebnis, dass diese meine Meinung doch sinnlos sei - und so beschlossen wir zu heiraten. Ich müsste mich sehr täuschen, wenn meine Annahme sich als falsch herausstellen sollte, dass Gott unsere Ehe segnet. Natürlich nicht mit Kindern - wir haben ja deren genug -, wohl aber mit dem Glück, gemeinsam an der Sache zu arbeiten, die für uns alle die wichtigste ist: Die Ansage des Reiches Gottes, in das Gott Carmen einen Blick hat tun lassen.

Totalschaden

Schon über ein Jahr lang hatte ich, Carmen, Dieter gebeten, mit dem Autofahren aufzuhören; bei den Medikamenten, die er nehmen musste, ist plötzliches Einschlafen keine Seltenheit. Und nun hatte er nur schnell zum Baumarkt fahren wollen - aber er kam und kam nicht wieder. Ich war schon ganz unruhig, da klingelte das Telefon: Mein Mann habe einen Unfall gehabt und sei nun auf dem Weg ins Krankenhaus.

Mein Nachbar brachte mich zur Unfallstelle; unterwegs kam uns der Krankenwagen entgegen und ich wusste: Da liegt mein Mann drin. - Das Auto sah furchtbar aus! Was war da von Dieter noch übrig?

Der Polizist am Unfallort erzählte mir, was passiert war. Mein Mann musste wohl eingeschlafen sein, jedenfalls war das Auto die kleine Böschung hinunter-gefahren und frontal an den Baum geknallt.

Zum Erstaunen aller, die das beobachtet hatten, sei Dieter ausgestiegen und habe nach seiner Brille gesucht; Polizei und Krankenwagen zu rufen, daran dachten andere. Es grenze an ein Wunder, das mein Mann auf eigenen Beinen zum Krankenwagen gegangen sei. - Danke, Herr, Danke!

Rein äußerlich war Dieter nichts passiert; nur die Stauchung im Rücken bereitete ihm monatelang fürchterliche Schmerzen. Doch für seine Seele war der Unfall ein verheerender Schlag; Dieter begriff mit einem Mal: Was er seit Jahrzehnten ganz selbstverständlich getan hatte, damit war es jetzt aus und vorbei!

Nach zwei Tagen in der Klinik kam er nach Hause und gab mir als Erstes seinen Führerschein: Er habe seine Lektion gelernt. Jetzt waren wir ohne Auto und bis zur Ortsmitte hatten wir einen Kilometer zu gehen. Naja, wenn man muss, dann geht es schon.

Als das Auto dann bei unserem Schlosser auf dem Hof stand und ich es mir in Ruhe ansehen konnte, war ich völlig perplex. Wie konnte es sein, dass Dieter sonst „nichts weiter passiert" ist? Da mussten Engel ihn bewahrt haben, wie damals mich.

Aber das Auto war eindeutig hinüber, das war klar. Das gute Auto! Wir waren glücklich gewesen damit, es war ein bewährtes Modell, also bat ich den Herrn um den gleichen Wagen. Ich sagte ihm, es dürfe gern auch zehn Jahre alt sein, Automatik, ein Diesel, so und so viele Kilometer. Ein Panoramafenster im Dach bräuchte ich nicht, aber es wäre schön, wenn es einen Tempomat hätte. Dem Schlosser sagte ich nur: „Ich möchte das gleiche Auto." Sonst nichts.

Dank Vollkasko-Versicherung reichte es für ein gleichwertiges Fahrzeug. Unser Schlosser ging bei seiner Suche wirklich gründlich zu Werk und es dauerte ein paar Wochen, aber am 24. Dezember 2016 stand er vor der Tür: „Hier ist Ihr Auto. Es ist auch zehn Jahre alt, ein Automatik, hat leider kein Pano-ramafenster, aber dafür einen Tempomat."

Ich schmunzelte: „Sie sagen immer, ich hätte einen guten Draht ‚nach oben'. Ich habe unserem Herrn gesagt: Er kann zehn Jahre alt sein, denselben Kilometerstand wie der alte haben, Automatik und Diesel, ein Panoramafenster muss nicht sein, aber ich würde mich über einen Tempomat freuen."

Nun durfte ich mal sehen, wie *ihm* der Mund offenstand! Mir war es einfach nur wichtig, bei den vielen Kilometern, die ich fahre, eine gewisse Sicherheit zu haben. Und ich durfte wieder einmal sehen, wie Gott eingreift, wenn man ihn machen lässt.

20 Kontakt ins Jenseits

Im Laufe der Jahre habe ich auch sehr grenzwertige Begegnungen gehabt, die mich oft mehr als verwundert haben. Beim besten Willen kann ich mir nicht vorstellen, wie es sein kann, dass ein Christ tatsächlich mit dem Jenseits, das heißt mit Toten, Verbindung haben möchte.

Schon in den ersten Monaten, als ich im Leben zurück war, wusste ich, dass solche Wünsche kein Spiel sind. Ich weiß, dass es Gott ein Gräuel ist, wenn wir uns einlassen auf Esoterik und Okkultismus - und beides gibt es ja in tausend Facetten; und das ist genau das, was der Teufel von uns will.

Diese Begegnungen waren sehr unterschiedlich - es ging von Christophs Mutter, der Esoterikerin, über Menschen, die glaubten, sie hätten schon einmal gelebt und wären durch Reinkarnation wieder zur Welt gekommen, bis hin zu Menschen, die mit den Toten reden, und welchen, die sich mit weißer Magie befassen, die Karten legen oder aus dem Kaffeesatz und den Handlinien die Zukunft herauslesen.

Ich habe Frauen kennengelernt, die ihrem verstorbenen Mann einen regelrechten Altar gebaut haben und jede Nacht mit ihm reden. Einmal musste ich um ein Uhr nachts zu einer jungen Frau, weil sie Angst hatte, jemand würde sie erwürgen.

In solchen Situationen habe ich gelernt, in der Kraft und Autorität Jesu zu handeln, ich durfte Menschen aus ihrem Irrglauben heraushelfen und sie im Namen Jesu von ihrer Gebundenheit befreien. (Übrigens habe ich inzwischen gelernt, dass man das nicht alleine tun sollte.)

Ich weiß, manche halten einen für verrückt, wenn man vom Teufel und seinen Machenschaften redet. Hat man es aber selber erlebt, wozu der tatsächlich imstande ist, dann denkt man anders darüber; immerhin herrscht er noch über diese Welt. Aber er weiß auch, dass Jesus Christus ihn besiegt hat – genau deshalb kämpft er ja wie besessen.

Ich kann nur davor warnen, sich auf Esoterik, Spiritismus und weiße Magie einzulassen, und schiene es noch so gut und „harmlos". Es ist wirklich sehr schwer, da wieder herauszukommen, denn wer sich damit einlässt, öffnet dem Teufel scheunengroße Tore. Und der Teufel weiß genau, was er will: dich, dein Leben!

Wenn du dich mit solchen Dingen eingelassen hast, bitte suche dir Hilfe – und denke immer daran, dass Jesus dich lieb hat und sehnsüchtig auf dich wartet. Er liebt dich so sehr, dass er auch und gerade für dich ans Kreuz gegangen ist. Hast du darüber schon mal ernsthaft nachgedacht?

Wenn du willst, begleitet diese Liebe dich durch dein ganzes Leben. Jesus ist bei dir, wenn du traurig bist, und genauso, wenn es dir gut geht. Er schaut zu, wenn du Fehler machst, und wenn es hart kommt, weint er mit dir. Er freut sich mit dir, wenn du glücklich bist. Er lässt dich nie allein.

Jesus ist stärker als alles, er ist auch stärker als der Teufel, und er kann dich immer frei machen. Aber bitte sei so gescheit und spiel nicht mit dem Feuer, denn es klappt nicht immer mit der „zweiten Chance".

Nachwort: Was wäre, wenn ...

Ja, was wäre, wenn der Unfall nicht gewesen wäre, wenn ich keine zweite Chance bekommen hätte, wenn mein Leben so weitergegangen wäre wie vorher? Ich kann heute nur sagen, dass ich so froh bin, dass Jesus Christus in mein Leben eingegriffen hat!

Ich bin sicher: Hätte er das nicht, dann wäre ich heute vielleicht wirklich nicht mehr am Leben. Wahrscheinlich hätte ich mich totgearbeitet - oder wie auch immer: Ohne Jesus hätte ich die Kurve ins Leben niemals geschafft. Dass ich radikal umgekehrt bin und diese Chance ergriffen habe und dass er mich dabei geführt, ja am Händchen gehalten hat, das macht mich wirklich glücklich.

Nicht alle Erinnerungen sind wiedergekommen, aber die, die heute immer noch weg sind, scheinen nicht mehr wichtig zu sein, zumindest vermisse ich sie nicht. Doch immer wieder kommt eine Erinnerung zurück, auch noch 18 Jahre nach dem Unfall. Ein Beispiel: Am 1. Mai 2018 saß ich mit meinem Mann am Frühstückstisch. Vor dem Frühstück gibt es bei uns immer erst die „Losung" und die tägliche Bibellese; nach dem Frühstück sitzen wir gerne noch zusammen und reden über den Bibeltext oder über anderes, was uns gerade wichtig ist.

An diesem Morgen erzählte ich Dieter von der Begegnung mit dem Nordkoreaner, 1979 im D-Zug nach Rostock. Aber warum schaute Dieter mich denn so ungläubig an? Ich fragte ihn das, und er antwortete mit einer Gegenfrage: „Carmen, hast du das vielleicht geträumt? Das hört sich ja *so* unglaublich an!"

Ja, auch mir selber ist es immer noch unbegreiflich, dass bei der amtlichen Räumaktion niemand mich wahrgenommen hat. Gelesen oder gehört hat man das ja schon, bei Bibelschmuggelgeschichten zum Beispiel; aber wenn man plötzlich begreift, dass man selber ein Teil dieses unglaublichen Vorgangs war, erfüllt einen das nur mit noch mehr Dankbarkeit und Liebe zum Herrn.

Und wer weiß, was noch alles zurückkommt – immer wieder erzähle ich auch in meinen Vorträgen spontan etwas, das ich nach dem Unfall noch nie gesagt habe.

Deshalb lade ich jeden ein, der dieses Buch gelesen oder das Hörbuch gehört hat: Wenn du einmal Gelegenheit hast, mich bei einem Vortrag zu erleben, im Frauenfrühstück, im Seniorennachmittag, bei Aglow, bei einer Veranstaltung von „Christen im Beruf" oder sonntagmorgens im Gottesdienst, dann komm doch – und bring Freunde mit, die Jesus noch nicht kennen.

Meinungen habe ich in all den Jahren zur Genüge gehört und jeder, der eine Meinung über mich hatte, wusste es natürlich viel besser als ich selber, die ich es doch erlebt habe. Heute weiß ich, dass ich mich dann getrost zurücklehnen darf, denn das wirklich letzte Wort hat unser Herr Jesus Christus – nicht nur über mich, sondern auch über die, die es immer besser wissen wollen, ja, er hat das letzte Wort über die ganze Welt.

Doch bei der wichtigsten Entscheidung unseres Lebens lässt er uns nicht nur „ein Wörtchen mitreden", nein, er mutet uns zu, sie selber zu fällen: Wo will ich die Ewigkeit verbringen? Ich kann nur jedem empfehlen: Warte nicht zu lange mit dieser Entscheidung; hier gilt: Je früher, desto besser; mit Jesus geht man ganz anders durchs Leben.

Und vor allem: Schenke der Werbung des Teufels kein Gehör, wenn er behauptet, im Himmel wäre es langweilig. Jeden Tag textet er uns zu mit seiner Werbung, die uns weismachen will, im Himmel würde nur gähnende Langeweile auf uns warten. Natürlich will der Teufel uns verführen, weil er nämlich genau weiß, dass er bereits verloren hat.

Denn: Jesus Christus ist und bleibt Sieger. Also sei nicht dumm und entscheide dich für das Richtige.

Dankeschön

Den Menschen, die mich mit Liebe und Hingabe auf meinem Lebensweg begleitet haben und das bis heute tun, danke ich von ganzem Herzen.

Danke, liebe Nicole! Mit sechzehn für die eigene Mutter die Mutterrolle zu übernehmen, das ist eine riesige Herausforderung, und du hast sie mit Bravour gemeistert – und nebenher noch ein richtig gutes Abitur hingelegt!

Danke, dass du dich meiner nicht geschämt hast, auch wenn es oft wirklich peinlich war mit mir. Danke, dass du mir geholfen hast auf meinem Weg zurück ins Leben.

Danke, Christine – immer hast du zu mir gehalten, bis heute ist das so geblieben. Auch wenn wir unterschiedliche Wege gehen, hat unsere Freundschaft Bestand. Sogar, als ich nach dem Unfall dich nicht mehr kannte, bist du mir Freundin geblieben. Herzlichen Dank dafür!

Danke, Kerstin, für deine Geduld. Wir kennen uns, seit ich neunzehn bin, und immer hast du für mich gebetet und das tust du heute noch. Schon in der ersten Viertelstunde hast du mir auf den Kopf zugesagt: „Du wirst mal Missionar!“ Damals hatte ich keine Ahnung, was das überhaupt ist, und habe nur aus Höflichkeit mitgelacht. Dein Lohn ist groß im Himmel, schon heute kannst du ein bisschen davon sehen.

Danke, ihr lieben Klugs, für eure große Hilfe mit Rat und Tat. Ihr habt mich aufgenommen, als ich in Not war, ihr habt mein Potenzial erkannt und mich ermutigt, es zu heben.

Danke, mein lieber Dieter, dass du dein Leben mit mir teilst. Ich schätze dich sehr, und ich kutschiere dich *gern* durch unsere schöne Welt!

Dankbar bin ich auch Hanna, Pfarrer Morgenstern und Pfarrer Karl-Heinz Kluge. Durch euch habe ich Jesus kennengelernt und trotz allem Stasi-Stress waren es glückliche Jahre damals in der Jungen Gemeinde.

Am meisten aber danke ich unserem Herrn Jesus Christus: Danke für mein Leben. Danke, dass ich zu dir gehören darf. Danke, dass du die Geduld hast, die ich immer wieder brauchte, um mich selber zu finden.

Bezugsquellen

Carmen Paul
Schmalkalder Straße 29
D-99894 Friedrichroda
Tel.: +49 (0)3623 3081937
kontakt@carmen-paul.info

KIE-Media
Michael Kienapfel
Im Dorf 11
D-91616 Neusitz
Tel.: +49 (0)9861 7099234
verlag@kie-media.de

cap-Verlag
Oberer Garten 8
D-72221 Haiterbach
Tel.: +49 (0)7456 9393-0
info@cap-music.de
Online-Shop: www.cap-music.de

Dieses Buch ist auch erhältlich als **mp3-Hörbuch**, gelesen von Carmen Paul mit Dieter und Nicole.
Ungekürzt **345 Minuten**, ISBN: 978-3-9821111-6-2

martonius – Tonstudio und Verlag
Albert-Kuntz-Straße 40-42
D-04808 Wurzen
Tel.: +49 (0)176 21956868
info@martonius.org